La Scala

Guglielmo Petroni

Il nome delle parole

Rizzoli Editore

MILANO 1984

Il nome delle parole

La casa

Gli oggetti della casa povera non si ricordano, non hanno volto; ci si scorda quasi del tutto della loro forma, semmai si rammentano le funzioni che hanno avuto nella vita quotidiana. La casa povera è come un colore uniforme, grigio, nei confronti d'un'immagine ricca, che possiede segni di identificazione perché i suoi colori si differenziano secondo ciò che rappresentano.

I sussulti della vita povera qualche volta sono riusciti a preoccupare il mondo, le folle dei poveri qualche rara volta si svegliano; ma la vita individuale dell'uomo povero non ha possibilità di meditare su nulla, se non sulla necessaria appropriazione delle forme dell'esistenza dei padri, sulle quali modella inesorabilmente la propria. La vita dei poveri non consente riflessione, raccoglie qualche eco che le proviene dalle sensazioni provocate da ferite, o da sottrazioni; soltanto nella parte occulta della loro coscienza si sedimentano scorie del proprio nebuloso universo, che riemergono attraverso secoli di accumulazione; sensazioni che restano relegate in quella zona di memoria in cui, più che rievocare e suscitare immagini, somigliano al cuocere delle ferite, al dolore del corpo: sono patimenti che quasi sempre sanno riassorbire il dolore fino ad essere annullati dall'eterna sopportazione che dimentica i necessari risentimenti.

La bellezza del mondo non ha alcun significato che possa intervenire a mutare l'esistenza povera, nemmeno quando è capace di subire il fascino della natura. La vita povera non conosce il nome dei colori e nemmeno quello delle parole; ma se ogni regola non avesse la sua deroga, rara, incerta, ma qualche volta foriera di mutazioni, il mondo non conoscerebbe cambiamenti, la sua immobilità risulterebbe noia eterna; esistono infatti rare mutazioni: ogni tanto anche un figlio della casa povera muta.

Chi muta devia, fuoriesce dalle regole e sarà stritolato, o comunque plagiato dalla propria diversità. È l'innocenza della povertà che per prima egli dovrà cedere a caro prezzo, ammesso che non venga sopraffatto dalla fatica necessaria e possa così scendere alla contrattazione. Se non finirà distrutto durante la strada, saprà quanto costa ad un povero imparare i nomi dei colori, quelli delle parole, saprà che volti hanno gli arcani mostri delle favole umane.

Che bambino volete che sia un bambino povero: nasce nella semioscurità e, se per caso sarà chiamato a perdere l'eredità dell'innocenza della vita povera, per i suoi avi sarà il traditore. Agli occhi dei suoi sarà colui che entra nel labirinto, sarà il deviante, forse anche il vigliacco

che sfugge alle leggi del destino; soprattutto sarà un essere incomprensibile, perciò anche un
povero di spirito. Il suo viso sarà palliduccio,
gambette un po' esili e, malgrado tutto, le stig-
mate delle origini non potranno mai essere
completamente cancellate; la sua parte di rachi-
tismo non potrà mai togliergliela nessuno; i
suoi movimenti, a confronto dei coetanei, saranno più lenti e circospetti. La paura che lo
domina la si può misurare dai sussulti che lo
scuotono se attorno si alza una voce sulle altre,
o se dal cespuglio vicino scatta improvviso il
frullo d'ali d'un passero.

Da bambino, generalmente, il deviante non
ha molte occasioni di rifugiare il viso sulle gonne della madre; conosce pochi altri della sua
età e con nessuno riesce a correre e smaniare
come si dovrebbe. Spesso lo si vede rannicchia-
to in un angolo buio, immobile e aggrondato,
simile a un cane vecchio che aspetta la morte.

Che bambino volete che sia. Non piange
mai e sa sorridere, ma sorride solamente quando nessuno lo guarda; qualche volta sorride dei
propri sussulti, sorride delle proprie paure, di
se stesso. Col tempo comincerà addirittura a capire che cosa è la miseria che l'ha generato e
che gli sta addosso, malgrado non gli apparten-
ga più dal momento stesso che ha saputo darle
un nome. È come se sapesse già che qualsiasi
sarà poi la sua vita, essa conterrà una zona
proibita a chiunque; nessuno potrà comprendere ciò che in quella *apartheid* nasce e muore, vive e cresce.

Forse la povertà, che nei primi anni del secolo si tramandava di padre in figlio come una gelosa eredità, oggi ha fatto il suo tempo; è difficile non saperlo, ma la povertà aulica resta certamente quella che i figli ereditavano come un retaggio che andava protetto, affinché il mondo rimanesse saldo sui suoi antichi archi e sulle sue eterne colonne.

Che genitori volete che fossero quelli! La mano rozza teneva i figli fermi, e non era rude per la durezza del lavoro, o per la rabbia della scarsità d'ogni bene, o per la monotonia della vita: era rozza per ignoranza. La colpa del mondo nei loro confronti non era quella di averli privati dei beni terreni, come suol dirsi, ma di aver per millenni negato loro gli strumenti che servono a dare un nome almeno alle cose che si vedono. Possedere poche decine di parole, avere la vista annebbiata perché alcuni colori sono combinazioni raffinate e difficili a capirsi, avere l'orecchio duro perché gran parte di ciò che si ode non si può comprendere, era la condizione indispensabile. Che cosa sarebbe successo se gli uomini della miseria tutt'un tratto avessero saputo vedere, udire, parlare? Ad un certo punto il nostro secolo cominciò a crescere anomalo, il tempo si metteva a correre vertiginosamente; il nuovo secolo pareva che avesse stranamente incorporato, durante uno dei suoi tanti accidenti, alcune delle inquietudini che prima, negli uomini del grande numero, appartenevano soltanto a qualche deviante, traditore. La povertà cominciava a scoprire che non è allegro soffrire.

S'è cominciato a dire che i padri non riescono più a riconoscere i figli; ma c'erano anche i figli che non riconoscevano più i padri. La mutazione antropologica stava per cominciare.

Intruso

Mio padre l'ho conosciuto all'età di sei anni; tornava dalle Americhe dove era andato ancor prima che io nascessi.

La ragazzetta del piano di sopra venne a prelevarmi: «Vieni con me, tua madre va alla stazione». Io ubbidivo a tutto, disobbedendo fin da allora a me stesso.

«Arriva tuo padre» disse la ragazzetta del piano di sopra senza nemmeno immaginare la frana che provocava: come si sgretolasse una montagna e seppellisse un piccolo cuore oppresso da troppe accelerazioni. Quando da cima della Scesa lo si vide arrivare: «Corri, corri, è arrivato tuo padre!».

Ma le mie gambe erano diventate di legno e non si piegavano: stavo per la prima volta ubbidendo a me stesso. Lei era impaziente, tutta la gente del caseggiato aspettava e lei non voleva perdersi le prime battute; mi diede uno strattone ed allora le gambe le piegai, ma i piedi si rifiutarono di muoversi da dove erano, perciò caddi in ginocchio sulla ghiaia tagliente della Scesa; il sangue correva dalle mie ginocchia in rivoletti, macchiando le calzine bianche.

Più tardi, a casa, mi sovrastava un uomo che mi pareva enorme; la sua presenza mi dava l'impressione d'un grande animale che fosse venuto a rubare quel po' di spazio in cui vivevamo.

«È bellino» disse mia madre.

«Sì, sì, ma sta un po' troppo zitto.» I miei occhi stavano rivolti all'ammattonato del pavimento.

Lui aveva lasciato l'Argentina perché, a chi tornava per andare al fronte, davano il biglietto gratis sulla nave e sul treno e, credo, anche un piccolo ingaggio.

Infatti restò per pochissimo tempo, poi, per alcuni anni, rimase nelle trincee del Trentino. In casa tutto tornò come prima. Di lui, avanti questa prima inquietante apparizione, ricordavo soltanto alcune lettere che mia madre leggeva in piedi, vicino al comò, mentre io mi baloccavo con la chiave dei cassetti che aveva l'occhiello rotto: «Questa l'ha scritta tuo padre, viene dall'America, guarda che francobollo grande»; il francobollo era coloratissimo.

Andatosene al suo destino di combattente, tornai alla felicità di vedere mia madre attaccata alla fracassosa macchina da cucire dalla mattina al tramonto, alla felicità di vederla sempre lì, disponibile se avessi avuto bisogno di lei; ma io non avevo bisogno nemmeno di lei, mi bastava che fosse lì, per me. Lei aveva molto bisogno della mia presenza, era completamente sorda per un qualche malanno contratto prima che io nascessi, ed io ero cresciuto nel suo silenzio, avevo imparato a parlare muovendo solo le labbra senza emettere alcun suono; ci si intendeva così bene che, spesso, le facevo da interprete.

Era donna assai pronta e intelligente; lei e la vecchia Singer vivevano in simbiosi. Il mio fratello più grande, per me, in quegli anni, era come non ci fosse; ricordo poco la sua presenza che si accentua invece nella memoria alla fine della guerra, quando il genitore tornerà a casa assieme a tanti altri vincitori.

A parte il fastidio di cominciare ad andare a scuola, dove subìvo senza fiatare qualche doloroso martirio dagli artigli di due vecchie maestre befanesche e crudeli, gli anni di quella guerra furono i più pacifici della mia esistenza. Qualche volta tornavo a casa con le mani gonfie e insanguinate dalle bacchettate delle due energiche educatrici, ma eran fatti che tenevo per me, e le ferite, come i cani, me le leccavo per conto mio, in disparte. A casa c'era la mamma che faceva correre la Singer come una locomotiva dai meccanismi un poco allentati: per lei anche la macchina da cucire era fatta di silenzio. Il nonno usciva molto presto al mattino e tornava a casa a notte alta, quando anche l'ultimo cliente del ristorante "Aquila d'oro", abbagliante di tante luci in mezzo alle quali i signori ufficiali, con signore dai grandi cappelli, si facevano servire piatti fumanti, se n'era andato. Li vedevo una volta al giorno, perché, prima di cena, dovevo portare la chiave di casa al nonno che sarebbe rientrato quando tutti dormivamo. Di chiave di casa ce n'era una soltanto, di giorno poteva essere utile a noi, di notte serviva al rientro dell'avo.

La spesa la facevo quasi tutta io, nel pomeriggio; penetravo nelle lunghe file davanti alle botteghe, per l'olio, il petrolio per il lume, il pane, la carne. Mi infilavo tra le gonne delle comari, lunghe fino ai piedi, rustiche, di fustagno; in mezzo, io mi seppellivo, sperimentando una serie di odori umani. Gli odori umani, se ci s'è stati dentro come io lo fui allora, alto appena un metro e forse meno, imprimono un marchio, aprono una parentesi nelle possibilità di classificare le esperienze, rimangono come una categoria a parte, tra gli strumenti che servono a comprendere che cosa si chiede all'uomo per avere il coraggio di vivere in mezzo agli altri senza rifiutarli.

In quei frangenti però mi trovavo con la tessera annonaria stretta tra il pollice e l'indice, distraendomi un poco sui colori dei vari bollini, ognuno dei quali rappresentava una razione di cibo: su di essi imparavo forse le prime parole, quelle che in tempo di guerra s'imparano più velocemente: pane, olio, carne, zucchero...

La testa contro lo stomaco

Col cibo non si sa che rapporto abbia stabilito il mio destino. Fin dal momento che si tentò di darmi qualche cosa di diverso dal latte materno, cominciai a rifiutare furiosamente qualsiasi frutta e qualsiasi verdura; ne sopportavo male anche la vista. Si faticò molto a capire che avrei accettato qualsiasi tortura piuttosto che toccare un frutto.

Al ritorno dalla guerra mio padre non intendeva comprendere: «Eccoti, stupido» e mi spiaccicava sulla bocca un acino d'uva, o uno spicchio d'arancio. Ciò che provavo era mostruoso: «Maledetto il mondo, la vita, il nascere, maledetta la natura che produce simili schifosità». Poi, col tempo, dovettero cominciare a convincersi, e non fui più torturato.

Parecchi anni dopo, a Firenze, durante le feste che occupavano intere notti allo studio del pittore Capocchini, gli amici delle Giubbe Rosse, che sempre si divertivano a scherzare sul rapporto tra me e la frutta, raccontarono a due ospiti svizzeri, due psicanalisti (nella Firenze delle Giubbe Rosse già la psicanalisi era di casa) i quali s'infervorarono. «Un trauma prenatale» sentenziavano «vieni con noi in Svizzera, sarai nostro ospite, avrai un po' *d'argent de poche*, imparerai a mangiare la frutta; dopo sarai più felice.» Ero certo che non sarebbe stato così; perché ne fossi così sicuro non lo so, ma ne ero certo. «In quel vuoto che cosa ci metterete?» chiedevo.

A quel tempo mi consideravo un uomo equilibrato, non avvertivo scompensi: quella sotterranea anomalia apparteneva alla tenebra dell'inconscio, dove è rimasta. Quella stranezza non faceva parte della mia biologia, era la mia stessa cultura, è stata tra i tanti miei veicoli per estrarre dal mucchio un essere diverso da quello che era quel bambino smarrito, un po' rachitico, chiuso nel fondo di un pozzo.

Adattamenti

Il luogo più oscuro della casa, a parte la "stanza buia", era l'angolo della cucina dove mio padre mise il banchetto e la seggiolina per cominciare a lavorare. Era anche lui tornato vincitore, ma la vittoria trovava ogni reduce magro, abbandonato, analfabeta come prima, senza barlume di avvenire: tutto come prima. Occupava molto spazio anche stando lì rintanato, ma quando si alzava e si muoveva per le altre stanze, io, non solo non trovavo più posto dove posare, ma le pareti dei miei silenzi e delle mie solitudini crollavano. Il suo ingombro sembrava tale da annullare altre presenze. Mia madre ora pareva avesse meno bisogno di me, non mi aiutava ad attenuare i miei terrori, a rendere meno desolante la mia solitudine, non era più schiava della Singer. La sensazione della morte non ha tempi determinati, raggiunge esseri di ogni età, ogniqualvolta dietro di essi finisce ciò che proteggeva le loro spalle mentre cercavano di andare avanti. Un bambino si sente subito attratto dal baratro che gli si apre alle spalle, quando si distrugge il suo passato. L'avvenire è ignoto comunque; la voglia di tornare, di rivivere ciò che era la sicurezza, l'abitudine, è la voglia stessa di annullarsi, di buttarsi in quel baratro, tornare fino alle acque fetali. Nessuna età è ostacolo alla consapevolezza della morte, del possibile nulla. Quella del bambino è una consapevolezza ignara, come toccare al buio un oggetto, sentirne concreta la presenza senza possibilità di vederlo, conoscerlo interamente.

Eppoi i meccanismi misteriosi, offensivi, della vita, correggono; sembra, come si suol dire, che riportino alla normalità; pare che stemperino la durezza cristallina delle situazioni. Mi fermavo comunque qualche volta in cucina, in disparte, a spiarlo quasi fossi in agguato. Un giorno lo vidi alzarsi di scatto, dirigersi verso l'acquaio di pietra, sputare: lo sputo dopo aver percorso una parabola ben calcolata andò ad infilarsi, perfetto, nel buco di scarico. «Visto?» disse a me, che credevo non avesse avvertito la mia presenza, risedendosi. Io rimasi sbalordito da tanta abilità sfoggiata con tale disinvoltura; guardai quell'uomo, che poi era notoriamente un bell'uomo, con ammirazione. Aveva superato senza saperlo un esame che un attimo prima sembrava, per lui insormontabile. Lo accettai, lo reputai superiore all'idea che ne avevo fino a quel momento e, a modo mio, gli divenni amico.

Imparai a conoscerlo, imparai ad accettare le carezze e le gentilezze che faceva a mia madre; poi addirittura, sentii che, dalla loro armonia, nasceva in me una certa possibilità di recuperare il guasto del vuoto e del silenzio che aveva devastato i primi anni della mia esistenza. Per un breve periodo fui efficiente a scuola: ero passato alla scuola pubblica, dove gli insegnanti mi consideravano un elemento del tutto passivo e assai ottuso. Devo ammettere che io mi sentivo tutte e due le cose.

La casa povera cominciò a muoversi, a trasformarsi, poi l'abbandonammo. Sembrava di essere cresciuti d'un tratto; ma io, in un istante, persi le voci amiche del cortile che ascoltavo accoccolato vicino al pozzo per non farmi vedere dalle comari; persi il mondo degli odori umani, persi quella musica di consonanze che, nei cortile della nostra casa, si puntellavano le une alle altre tenendo in piedi una ininterrotta comunicazione, come un filo che sorreggesse la vita; persi una fonte sonora che conteneva tutti i segni che mi erano necessari a non perdermi del tutto nel mio nulla; persi presenze che, senza parere, costruivano letizia.

Al nuovo venuto piaceva poco faticare, poco lavorare con le proprie mani; perciò, non senza abilità, nel volger di qualche tempo, mise al proprio posto quattro o cinque operai che lavoravano per lui; dovemmo andare nella casa nuova, perché in quella vecchia furono installati quei poveri diavoli; nella casa nuova non c'era cortile, non s'incontrava nessuno per le scale. Si svolse tutto con una certa celerità. Io continuavo ad andare a scuola, ma una profonda sordità s'era di nuovo impossessata di me; non desideravo vedere nulla, sapere nulla; mi sentivo abbandonato; ma forse non cercavo nulla di meglio che essere un poco abbandonato.

Mi pareva che intorno a me stessero per addensarsi certe tempeste dalle quali non sarei uscito incolume. Via via che gli operai aumentavano di numero, più l'economia familiare pareva lasciarsi alle spalle lo squallore della casa povera, più la vita familiare sembrava accumulare inquietudini.

Ci penso io

«Bimbo,» diceva mio nonno, le poche volte che lo incontravo in casa, «eccoti un ventino, comprati quello che vuoi.» Non era proprio poco per lui, che viveva delle mance dei signori che mangiavano all' "Aquila d'oro"; le mance che tanto ci avevano aiutato a sopravvivere durante la guerra. Era un uomo che sapeva mantenere la tensione di una segreta allegria, anche quando lo squallore della nostra e della sua esistenza pesava schiacciante. Suo figlio, prima in America, poi al fronte, nulla o poco aveva contribuito alla sussistenza della famiglia; mia madre col moto perpetuo della macchina da cucire aveva fatto quello che poteva; il nonno, ormai vecchio e assai deteriorato, lavorava fino alle ore piccole e provvedeva a tutte le falle, curiosamente sorridente e rassegnato.

Nel suo giorno di libertà il nonno se ne andava all'osteria; tornava tardi, cantando, barcollando, brontolando con segreta allegria: «Tutti calmi! ci penso io». Quel «ci penso io» era serenità per me. «State tranquilli,» diceva, quasi urlando, «ci penso io. Di nulla s'ha d'aver paura, ci penso io!»

Spesso, nel suo giorno di riposo, uscito presto di mattina, a sera tardi non si vedeva rincasare; io aspettavo, non lui, ma che mia madre, dopo qualche ora di riflessione, m'infilasse la mantella: «Vai, vai a cercarlo; a te dà retta». Sapevo dove andare, due o tre osterie; ma soprattutto una dove lo trovavo assieme ad altri vecchi simili a lui, vivacissimo. Il gruppo, rumoroso e fumante dell'acre tabacco dei toscani, sembrava aver dimenticato il tempo.

«Eccolo il mi' nipote» esclamava appena mi vedeva entrare. Tutti si muovevano per farmi posto. «*Omelette aux confitures* per il mi' nipote!»

«Nonno ho già mangiato.»

«Ci penso io, bimbo, *omelette aux confitures.*»
Me la portavano con la fiamma sopra, come voleva lui, che sapeva come si serve una cosa come quella nei ristoranti di lusso. Tentava di tagliarmela, ma si bruciava le dita: «Fai tu, sai fare meglio di me». Mi sentivo felice.

«*Ecco i giocattoli di Parpignol!*» cantava tutt'a un tratto, tra la gioia di tutti gli avventori dell'osteria. La sua voce non era vecchia, era bella, limpida. Gli amici attorno al tavolo gli facevano coro «*Ecco Parpignol, ecco Parpignol col carretto tutto fior!*».

L'ombra di Puccini aleggiava nell'osteria. Io stesso, piccolissimo, avevo visto il nonno sul palcoscenico al teatro del Giglio, in costume, spingere il carretto tutto fior e cantare «*Ecco i giocattoli di Parpignol!*».

Non era nato povero, apparteneva a una famiglia agiata della città. Credo si trattasse di

una famiglia di sciagurati, goderecci e spendac-
cioni. Lui aveva studiato canto, aveva seguito
una compagnia fino a Nizza, poi non so; dai
suoi racconti qualche scintilla d'una favolosa
Belle époque nizzarda era giunta fino a me.
All'osteria con lui conoscevo la felicità; l'unica
vera felicità che, fino ad allora, fosse riuscita a
penetrare in fondo al pozzo delle mie giornate,
abitava all'osteria, dove mi pareva scorresse
una bontà infinita, la bontà di quel vecchio, dei
suoi amici che gli somigliavano; tra di essi era
sempre presente uno scultore che aveva scolpi-
to qualche angelo sulle lapidi del camposanto;
un facchino della stazione; gli altri non so che
cosa facessero, ma per me erano tutti buoni,
vecchi, poveri come il mio nonno. Erano per-
sonaggi che, nella loro allegra rassegnazione,
comunicavano un calore che stranamente mi
pareva riscaldasse soprattutto il mio cervello
chiuso, forse ottuso, che invece si apriva come
si spalanca su un paesaggio assolato una finestra da una stanza buia. In quei momenti mi
pareva di comprendere tutto; una specie di attenzione mi rendeva capace di capire la gioia
che ricęvevo dai loro astrusi argomenti, che
ascoltavo sentendovi serpeggiare una dolce ma-
linconia. Quelle sere, per me, erano meravi-
gliose feste della vita.

Tornavamo a casa tardissimo; lui si appog-
giava alla mia spalla, vacillava, canticchiava;
«Bimbino ci penso io» mi ripeteva ogni tanto.
L'aiutavo a salire le scale, ad aprire la porta;
quando entravamo, mia madre era seduta nel-

l'ingresso. Rimproverava: «Fortuna che ho mandato te».

Gli ultimi anni della sua vita non furono i migliori, ma le sue vibrazioni di allegrezza interiore io le sentivo trasferirsi in me, quando l'avevo vicino. Suo figlio, tornato dal fronte ed emancipatosi dal lavoro manuale, dirigeva alcuni operai che fabbricavano pantofole; ora era un padrone, era colui che provvedeva alla propria famiglia; spesso si esprimeva con la durezza di chi presume di aver acquisito il diritto di giudicare e di decidere. «Sono vecchio,» un giorno sentii che il nonno gli diceva «non ce la faccio più. Eppoi ho leticato col padrone, al ristorante non ci vorrei andare più.»

«Sei matto! Torna subito e fai la pace. Come vuoi che io possa avere una persona in più sulle spalle. Ho molti grattacapi. Sei matto!»

«Va bene, ci penso io.»

Tornò al lavoro, sempre più lento; non durò molto; morì rapidamente. Lo vidi poche ore prima che spirasse, ansimava, rantolava con gli occhi fissi al soffitto. Persi il grido consolatore, persi l'àncora della salvezza, cominciai di nuovo a camminare come un cieco, sordo anche ai pochissimi richiami ai quali prima in qualche modo rispondevo.

Dormire

Non sembrava più che fosse sorda, sibilava le proprie frasi con forza e provocazione: «Tu non m'inganni, io le cose le vedo, anche se...» ed accennava con le mani ai propri orecchi. «T'approfitti perché sono così, ma i miei occhi vedono, capisco più di quanto non ti creda.»

«Tu sei una maledetta vipera. Una rovina; basta! basta!»

Le voci alte, irate, la veemenza del dire e delle immagini che evocavano, mi rendevano folle di terrore; andavo a spiare, poi, senza rendermi conto di che cosa stessi facendo, vedendo mio padre che alzava una mano per colpire, anche se lei imperterrita e battagliera non indietreggiava di un passo, mi buttavo in mezzo a loro che urlavano viso a viso. Disperato, con le braccia alzate, credevo di essere una barriera tra i due, ma non era così, quasi non si accorgevano della mia presenza sconvolta; nulla poteva alterare il loro violento scontro, la ferocia delle parole mi feriva molto più profondamente del gesto violento. Come avrei voluto non essere mai nato! Per giorni e giorni, non so dire in quali termini, il mio mutismo e la mia rannicchiata solitudine contenevano voci: "Sparire dalla vita, essere un sasso. Morire".

Quelle scene mi seguivano a scuola, la loro eco era presente come una lama rapida a tagliare fuori dalla mia esistenza qualsiasi attimo d'una possibile consolazione, qualsiasi attimo in cui dall'esterno potesse pervenirmi un richiamo capace di distrarmi solo un momento.

Spesso, verso sera, dopo quei grumi di urli, di minacce, che a me parevano odio, mia madre mi chiamava: «Senti, vai nel retrobottega del bar Centrale e vedi di riportare il babbo a casa». Ubbidivo come un automa, mi mettevo la mantellina grigioverde che lui aveva portato in guerra e andavo; entravo, c'era; stava ad un piccolo tavolo coperto di panno verde e giocava con altri uomini, tetramente, mi pareva. Senza parlare, senza chiamarlo, mi mettevo seduto in disparte. Lui poi finiva per vedermi, faceva un segno vago, ordinava una pasta millefoglie con la crema; me la portavano, ed a volte rimanevamo lì lunghe ore della notte. Quell'ambiente mi faceva un poco orrore, le persone che vi si trovavano mi parevano tetre; ma io generalmente ne ero fuori, mi seguivano le immagini dello scontro, le parole di odio.

Quando poi tornavamo a casa, per la strada mi metteva una mano sulla spalla e mi stringeva a sé: «Il mio bambino, il mio bambino» mormorava; però era come se non lo udissi. Provavo soltanto una stanchezza enorme e, senza preavviso, con un sussulto, mi balenava in mente l'unico rimedio, l'unico approdo dal quale avrei ricevuto consolazione: dormire.

I marmi di San Michele

In quell'aula non c'ero; non perché avessi fervida fantasia e riuscissi ad uscire verso i meravigliosi giardini rinascimentali che si vedevano dalla finestra della scuola; non c'ero perché il vuoto che portavo con me non possedeva eco, non aveva luce; ero poco più di un oggetto. Quando poi riuscivo ad esserci, non provavo nulla, mentre appena arrivava l'ora di uscire, la repulsione per la scuola somigliava ad un conato di vomito; durante le ore che ero rimasto chiuso là dentro, difficilmente passava una giornata senza un dileggio, una punizione, per la mia stupida assenza.

Eppure, segretamente, nella solitudine che riuscivo a recuperare fuori della scuola, nascosto in qualche angolo, mi pareva, qualche volta, che mi si aprisse una finestra sul mondo, dalla quale riuscivo a vedere ciò che gli altri non potevano nemmeno supporre. Le punizioni, il dileggio per la stupidità, non suscitavano risentimento: le voci, i volti, le parole d'una giornata di scuola si cancellavano non appena varcavo la soglia dell'uscita.

Mio fratello studiava con profitto, ripeteva

bene tutto, aveva buoni voti. «Tu a scuola che ci vai a fare? non sei proprio tagliato» mi si diceva; poi un giorno nel mio ultimo anno di scuola mio padre decise: «Almeno il sabato non ci vai, sei più utile al banco per aiutare». Tutti i sabati, l'ultimo anno di scuola saltai le lezioni, andavo ad aiutare: «Almeno al banco servi a qualche cosa». Il banco era una bancarella che tutti i sabati si montava a piazza San Michele durante il mercato. Mi alzavo prestissimo e aiutavo a montare il banco, che era formato da un carretto a due ruote per trasportarlo sul posto, poi aiutavo a vendere le scarpe ai contadini: c'era vivacità e aria aperta. Quando riuscivamo a metterci in buona posizione si aveva davanti agli occhi la facciata di San Michele. Il suo sovrastare stendeva su di me una larga ombra protettiva; perfino quando ero chino a infilare qualche scarpa a un cliente, per qualche attimo mi distraevo e storcevo il collo per guardare in sù lo scorcio dei marmi bianchi e grigi. Il meraviglioso volto di quel grande oggetto antico emanava qualche cosa, un fluido che conteneva forse i segni della sua bellezza, forse il mistero della sua antichità. Mi stupivo che la gente intorno rimanesse indifferente, non si accorgesse nemmeno che quella splendida visione aveva una voce, chiamava. Quei ritmi di marmo erano una specie di universo nel quale potevo immedesimarmi a lungo, come se vi potessi leggere qualche cosa; erano segni di un linguaggio che udivo benissimo, ma non ero in grado di comprendere. Poco dopo mezzogiorno l'animazione si affievoliva, i contadini andavano a mangiare, c'era una lunga pausa in cui anche i miei andavano a casa e mi lasciavano solo a guardia della merce. Appena si erano allontanati, m'infilavo in una delle grandi casse che servivano a trasportare le scarpe, socchiudevo il coperchio, in modo che restasse soltanto uno spiraglio entro il quale la facciata di San Michele rimanesse inquadrata in uno scorcio splendido. Iniziavo un viaggio straordinariamente colmo di idee veloci; i particolari mi attraevano, ma si fondevano gli uni negli altri; qualche cosa scendeva giù verso il pertugio della cassa, tutto per me, un colloquio degli occhi pareva mi rendesse il mondo sottrattomi fino allora, dagli altri, da me stesso, non so; l'importante era che, qualsiasi peso, qualsiasi ferita fresca mi tormentasse, tutto spariva. Era come se i due binari che scindevano la mia esistenza si unissero in una breve marcia non priva di trionfalità. Ma il repentino ritorno alle faccende del banco, ai pungoli dei miei, alle sciagure reali, o allucinate, era come se cancellassero tutto.

A tredici anni fui tolto dalla scuola: «Sei più utile a bottega».

Uno sciabigotto

Lavorare per l'intera giornata, tutti i giorni, fu duro: dovevo stare al banco, nel laboratorio, spesso in bottega. Alla pena della fatica giornaliera se ne aggiunse un'altra non prevista: i miei coetanei continuavano ad andare a scuola ed io, davanti a loro, sentivo una certa umiliazione. Ma c'erano gli abituali avvenimenti familiari che provvedevano a mettere in secondo piano ogni altra considerazione; il loro incalzare era assai opprimente e, spesso, talmente improvviso da non lasciarmi possibilità di prepararmici. Il vuoto, il desiderio di non esistere allagavano ogni spazio disponibile, occupavano anche il più recondito angolino di me stesso, dove cercavo vanamente di proteggere un po' della vita, di creare una trincea, estremo rifugio contro il mondo che mi pareva nemico. Le domeniche, o le altre rare giornate in cui ero libero dal lavoro, imparai a scappar fuori delle porte della città. La campagna allora era subito lì: i canali d'acqua, i viottoli tra i campi e le vigne, le improvvise scoperte delle Alpi Apuane di là d'un poggio, mi coinvolgevano spesso nei grandi spazi entro cui, piuttosto che perdermi, trovavo un mio nuovo angolo ermetico, un nuovo nascondiglio. In quei momenti conoscevo un me stesso col quale andavo perfettamente d'accordo. Tutto ciò aveva il potere di far sparire dalla memoria i consueti affanni; ma erano momenti; appena ricominciava la settimana di lavoro, sulle mie spalle tornavano a pesare le affannose bufere familiari.

Generalmente nessuno mi prendeva in gran considerazione, passavo vicino ai gruppi dei vecchi compagni di scuola e di quartiere senza che si accorgessero della mia presenza; d'altra parte i loro gridi ed i loro giuochi non mi attraevano. Se poi, casualmente, alcuni di essi si accorgevano dalla mia presenza, erano i più turbolenti, i discoli del quartiere: anima che strazio! Può darsi però che uno strazio fossi soprattutto io: com'era possibile, con quell'aria di passerotto smarrito, mentre dentro di me, nei loro confronti, mi sentivo resistente, d'acciaio, passare impunito davanti a quei ragazzi del quartiere la cui energia era sempre in cerca di qualche bersaglio per i loro fulmini?

« Vieni qui, che ci hai sotto la mantella? »

« Lasciatemi stare. »

« Hai paura? facci vedere che cosa hai sotto la mantella. »

Ero andato a ritirare da un negozio amico un paio di scarponcini di vacchetta con cui avrei passato un buon inverno all'asciutto. Quando da lontano avevo visto i due che venivano dalla parte opposta, annoiati della giornata grigia, m'ero spostato sull'altro marciapiede sperando di evitare l'incontro.

«Facci vedere, non rubiamo mica.»

«Belli!» me li strapparono di mano e cominciarono a gettarseli come una palla, facendoli passare sopra la mia testa. Io li guardavo muto e inerte. Soltanto quando facevano finta di restituirmeli, allungavo le braccia, ma quelli ritiravano la preda e, con una grande risata, continuavano a gettarseli sopra la mia testa. Guardavo ogni volta quei volti di ragazzi come me, quei lineamenti mobili, mutevoli, ascoltavo le loro urla di gioia di fronte alla mia inerzia e non pensavo a nulla; semplicemente aspettavo.

«Sei uno sciabigotto da nulla, te, prendili.»

Gli scarponcini, ad un certo momento, si slegarono ed uno rotolò giù dal poggetto.

«Ma li vuoi o non li vuoi?» Io non rispondevo.

«Vieni qua, vieni qua, uno te lo mettiamo qui.»

Ai piedi d'un grande platano c'era una merda larga sulla quale appiccicarono lo scarponcino: «Ah, ah; c'è rimasto incollato; sulla merda ci crescerà un albero di scarpe. Ma a far gli scherzi a te non c'è nessun gusto».

Si allontanarono, recuperai quello precipitato in fondo al poggio erboso e scollai l'altro dalla merda. Non pensavo a nulla, non provavo nemmeno risentimento. Invulnerabile no, c'era dolore, ma la corazza resisteva.

Spesso riuscivo a circolare tra loro inosservato; ma quando erano in molti, qualche volta si

33

buttavano su di me, mi trascinavano nel prato gridando, ridendo, mi buttavano a terra: «La zuppetta, gli facciamo la zuppetta!».

Mi sbottonavano i calzoncini e, uno dopo l'altro si avvicendavano a sputare dentro. «Ti laviamo il bischeretto» dicevano; era una gran festa per loro.

Mio padre, che sapeva o intuiva la mia debolezza nel rapporto coi coetanei del quartiere, mi metteva in mano un randello: «Se qualcuno ti dà noia daglielo sul groppone». Ma io non gli rispondevo nemmeno. Forse per questo, lui che si diceva socialista e che una volta aveva avuto delle noie con quel Carlo Scorza che imperversava sulla città, più tardi mi fece iscrivere tra gli avanguardisti. Mi recai due o tre volte alle loro adunate: tutto quel gridare, cantare non era fatto per me; sembravano tutti vincitori ed io dovevo in qualche modo ammettere che ero diverso, impermeabile, incapace.

Quell'anno ebbi però un difensore, ma durò poco. Cacciatore di notevoli capacità, mio padre ormai possedeva due fucili; ogni tanto, mi obbligava ad alzarmi la mattina prima dell'alba perché lo seguissi lontano, su certi prati attorno alla città. Nel terreno erboso dovevo piantare un certo aggeggio che poi, per mezzo di uno spago, tirando e allentando, tirando e allentando, facevo girare e rigirare in modo che luccicasse al sole. Odiavo quelle passeggiate assonnate, l'erba fredda e coperta di brina; detestavo anche il brillìo degli specchietti che ogni tanto faceva venir giù in picchiata qualche allodola, tra le tante che di quella stagione passavano a grandi stormi per il cielo; mi ripugnavano gli spari, l'obbligo di correre a raccogliere le vittime che, spesso, non erano ancora morte.

Da buon cacciatore, a un certo punto, si portò dietro un cane: il primo, che poi risultò assolutamente inabile alla caccia. Lo portò una domenica, senza dir nulla a nessuno. Ad una certa ora mi mise una ciotola in mano con una specie di zuppa dentro: «Vai nel laboratorio, c'è un cane che avrà fame, dagliela. Si chiama Ciccio».

Appena aprii la porta mi trovai davanti un bolide nerissimo che si slanciò verso di me come volesse abbattermi; ma seppe fermarsi immobile, in una frazione di secondo, guardandomi fisso; impaurito posai la ciotola per terra e mi rifugiai dietro la porta, lasciandola un poco socchiusa per vederlo mangiare. Ingoiò la sua zuppa, poi, dimostrando che sapeva che ero dietro lo spiraglio della porta, venne lentamente verso di me col muso in alto, dilatando le narici, scodinzolando alacremente; era un bastardo, nero, lucidissimo, forte e nervoso, aveva gli occhi rossi, a tratti pareva che sorridesse.

Dopo qualche giorno infiammai d'amore per lui perché sembrava che avesse scelto me, nella famiglia; vedeva solo me, mi ubbidiva, secondo il mio parere capiva le mie parole; comunque sapeva la dolcezza con cui gli parlavo, lo chiamavo, gli carezzavo la nuca. Divenne presto un problema per tutto il quartiere, mordeva chiunque non mi fosse amico; riconosceva i ragazzi che non mi lasciavano in pace e li affrontava, li scacciava e, troppo spesso, li mordeva ai polpacci. Fu addirittura denunciato; venne ad arrestarlo l'accalappiacani e fu rinchiuso nel canile municipale, in una cella con le relative sbarre. Per quindici giorni gli portai da mangiare; quando mi avvicinavo cominciava una danza frenetica, rumorosa; si acquietava soltanto quando oltrepassavo la soglia del canile: mangiava ed io gli parlavo, gli dicevo molte cose, ma lui forse si contentava di sentire il suo nome pronunciato da me, teneramente; quando me ne andavo mi seguiva con gli occhi, strappandomi l'anima. Finita la prigionia fummo indivisibili; controllai le sue intemperanze, lo abituai ad aver tanto bisogno di me; quando ero fuori di casa senza di lui, sentiva la mia presenza mentre mi trovavo nel centro della città.

Avevo scoperto l'amicizia, l'amore; come si fa a dire che cosa può succedere fra cane e padrone? l'affetto e la complicità erano perfetti. Ciò che mi proveniva dalla sua presenza cambiò i miei rapporti col mondo; per la prima volta sentivo di essere amato, che un essere vivo pensava costantemente a me. Non chiedevo altro, nemmeno pensavo che tanto fortunata felicità potesse interrompersi; invece durò poco. Un pomeriggio si avventò contro la ragazzetta del piano di sopra, che ormai si era fatta donna e viveva gran parte della giornata da noi, io solo forse avevo capito che la sua presenza era un problema. Allargando la sua enorme bocca l'addentò tra il mento ed il collo lasciandole sopra e sotto dei punti sanguinanti. Mio padre si scatenò, cominciò a picchiarlo con foga inumana, il cane urlava disperato, acutamente; sentivo la sua rabbia, capivo la sua impotenza; io urlavo forse più di lui, ma non smise di massacrarlo, picchiandolo con la catena fintanto che io non mi accasciai sul sofà, distrutto forse più di quanto non lo fosse Ciccio, che approfittò dell'attimo in cui mio padre allentò la presa, per rifugiarsi sotto un mobile, dove rimase l'intera giornata, sordo anche ai miei richiami: tutto sommato, per lui, almeno in quel momento, appartenevo alla razza di colui che l'aveva quasi ucciso. Il giorno dopo però, malconcio, mi venne incontro un po' mesto, ma con la stessa affettuosità di sempre; s'attaccò a me appoggiandosi; sentivo che era disperato almeno quanto lo ero io. Avevo avuto comunque il tempo di convincermi che avrei potuto consolarlo, stavo pulendo il suo pelo corto e appiccicoso di sangue, quando mi sentii chiamare assai imperiosamente: «Porta il cane». Con mio padre c'era un cuoiaio di Poggibonsi; fuori, il suo cavallo attaccato al biroccio pieno di merce.

«Lo dai via?» domandai disperatamente.

«È un cagnaccio» rispose mio padre.

Guardandolo allontanarsi legato, sul biroccio, in un istante seppi che cosa perdevo: tutto. Ero stato amato ed ora, di nuovo, senza preavviso, il deserto degli affetti; di nuovo nel pozzo, nel labirinto di coloro che intorno sentono il deserto, la vita come un pericolo.

Tornò dopo quindici giorni, a metà della notte fummo svegliati da un trabestio infernale alla porta di casa; mi svegliai per primo, per primo corsi ad aprire; era lui, coperto di fango, con una corda al collo che aveva spezzato coi denti; aveva attraversato più di sessanta chilometri di campagne. Mio padre, mia madre, mio fratello rimasero perplessi; ma era notte alta, avevano sonno e tornarono quasi subito a letto con pochi commenti, non del tutto negativi. Rimasto con lui lo portai dentro il mio letto, sotto le coperte e, lurido com'era, l'abbracciai. Dormimmo fino al mattino e nessuno ebbe il coraggio di rimproverare lo scempio delle lenzuola infangate. Non ero però ancora riuscito a rendermi conto se davvero avevo recuperato quella ragione di vita, l'amicizia, l'affetto, che fu di nuovo portato lontano, mi fu strappato con l'indifferenza di chi non può comprendere che cosa fa. Non lo vidi più; con l'amicizia persi la speranza, l'esistenza si congelava un'altra volta nell'immobile sordità del mondo che mi circondava.

Passeggiata ipocrita

Qualche volta mi struggeva il desiderio di essere come gli altri, in mezzo agli altri; durava poco, forse avrei dovuto essere più forte, più resistente nei confronti del logorio del mondo violento della gelosia, degli intrighi, degli affetti di coloro che mi stavano vicini, delle difficoltà nelle quali generalmente vedevo dibattersi tutta la mia famiglia. Tirarsi in disparte, far finta di non esserci, era come aprire la porta ad altri argomenti, anch'essi dotati del potere di generare angoscia. In disparte, in silenzio, visto che nella casa nulla mi si diceva mai, ascoltavo. Stranamente, sentendomi più vicino a Ciccio che ai miei simili, riuscivo ad intuire intrighi di affetti, segreti che facevano pena, attraverso analisi che, a ripensarle oggi, sembrano acutissime e impossibili a quel grumo di spine che ero. Scoprivo, quasi divinavo, segreti mortificanti e riuscivo a comprendere quanto essi ci dividono, cingono di barriere insormontabili le reciproche solitudini. Ma c'erano anche cose assai più facili a capirsi, anch'esse disperanti:

«Allora andremo a catafascio. Sei uno sciagurato, giuochi e in laboratorio a guardare che fanno gli operai non ci sei mai».

«Basta, basta!»

«Dovevi star meno in giro, chissà dove passi le giornate; gli operai rubano. Devi pensare di più a noi.»

«Non capirai mai nulla. Se tu riuscissi a stare un po' zitta. Non sono affari tuoi.»

«Come non sono affari miei. Chi sono io?» Mia madre non pareva sorda, capiva tutto, rimbeccava duramente.

«Vi è mai mancato nulla da quando sono tornato dal fronte?»

«Fallirai e ci mancherà tutto.»

«Mi distruggi, ma prima che tu distrugga me, distruggerò te.»

Dormire era il rimedio stupendo e facile, se era l'ora giusta. Ma poi ci si sveglia, gli occhi si riaprono guardando un nemico nella luce del giorno. "Spegnere la luce del mondo, dormire sempre, questo sarebbe stato vivere!"

Avevo capito bene; arrivarono gli uscieri e misero la ceralacca sulla porta del laboratorio e a quella della bottega. Quella mattina non c'era nulla da fare e nessuno si occupava di me. M'incamminai verso il Giannotti, un quartiere lontano con un ponte sul Serchio. Affrontai la lunga strada pensando che sarei arrivato al ponte sul fiume e là mi sarei fermato, mi sarei affacciato alla spalliera, avrei guardato giù, in fondo, dove più che acqua c'erano banchine sassose; eppoi, incredulo dell'idea, sarei pur cascato giù. Andavo avanti a passo regolare ostinato nell'idea che sarei caduto là in fondo, mentre sentivo tutto il ridicolo dello scopo per il quale camminavo. Arrivai sul ponte, m'affacciai, riuscii a pensarmi disteso, là, in fondo, schiacciato dal lungo volo; scossi le spalle, ebbi la sensazione di non essere all'altezza del segreto, poco segreto pensiero che mi aveva guidato fin lì; capii il sentimento di ridicolo che era giusto provassi verso di me, ma c'era anche un acuto senso di commiserazione; ebbi l'impressione di essere l'autore e l'attore di una penosa farsa a mio uso e consumo.

Dopo ci fu un breve periodo di quasi disteso riposo. Io uscivo di casa e mi recavo fuori porta. Mio padre era alle prese coi creditori con cui stava stilando un concordato; io capivo tutto, ma vivendo in quel momento in un'atmosfera familiare che sembrava quasi serena, non mi preoccupavo delle angosce che potevano stare dietro quella insolita facciata, apparentemente liberata dai consueti conflitti. In quei giorni scappavo al fiume a fare il bagno; là riuscivo addirittura a mischiarmi ad alcuni gruppi di ragazzi ed avvicinare qualche bambina senza difficoltà; senza che nessuno si comportasse con me diversamente che con gli altri. Poi, per la campagna, la natura che durante l'anno precedente m'aveva confortato senza che io ne osservassi particolarmente le forme, ora s'imponeva; voltando dietro ad un poggetto trattenevo il respiro; di nuovo, davanti alla visione delle lontane Alpi Apuane, oppure ad una casa, un campo, una vigna, scoprivo luoghi mai dubitati, luoghi della felicità. Guardavo a lungo e, spesso, mi pareva di vedere per la prima volta un albero, una montagna, mentre avevo l'impressione che anche da esse calasse su di me qualche cosa che conoscevo e che infine riconobbi; era affine a ciò che scendeva su di me quando, chiuso nella cassa, guardavo la facciata di San Michele dal pertugio del coperchio.

Qualche cosa di nuovo mi succedeva; si liquefaceva l'antica corazza in cui ero serrato; il vento mi raggiungeva, mi avvolgeva. Era nata attenzione nel mio rapporto con la natura, e quella misteriosa corrispondenza tra i segreti entusiasmi per i paesaggi della campagna solitaria e le facciate delle chiese della mia città, coi marmi bianchi e grigi di San Michele, o quelli di San Martino, non sapevo come spiegarla, ma mi pareva contenesse qualche cosa di nuovo per me. C'era un luogo dove la grande ruota di un mulino abbandonato, pieno di erbe gocciolanti, continuava ad andare: quei rumori d'acqua, quel moto lento che pareva durasse dall'eternità, quel cigolio, piano piano mi penetravano e, come avessero un potere ipnotico, rimuovevano in me lunghe serie di ricordi, di immagini vissute, di considerazioni spontanee che, qualche volta, quasi come risvegliandomi, m'inducevano a dire a me stesso: "Eppure capisco, eppure...".

Il nuovo corso

«Ora si ritorna a bottega. Avrai finito di girellare. Lavorare bisogna; svelto, svelto!»

Avevo circa quattordici anni; la fase acuta della prima crisi economica della famiglia pareva superata. I creditori di ieri tornavano sorprendentemente ad essere i fornitori di oggi. I nove operai tornavano al laboratorio, con essi si ricostruiva quel piccolo ambiente dove potevo sentirmi protetto pur essendo in mezzo a diverse persone. Con gli operai mi intendevo, ogni loro intervento nei miei confronti era bonario anche se pungente; ascoltando le loro conversazioni, le loro fantasie, imparavo i segreti umani come mi fossero cantati senza reticenze, senza nulla di ciò che altrove mi si nascondeva suscitando fantasiose falsità, spesso laceranti. Il sesso era, per loro, la stessa cosa del cibo, ne parlavano come parlavano dei pasti o dei pranzi immaginari, fantasticavano sul sesso come sulla loro fame, ma tutto risultava vero e semplice.

Ricominciammo come se nulla fosse successo; ma in realtà, almeno per me, molte cose erano cambiate. Il mio consueto angusto spazio s'era allargato, in quelle poche passeggiate solitarie in campagna, in quelle poche scorribande nelle strade della città, che prima conoscevo poco, alla scoperta di altre belle facciate antiche, di stupefacenti interni la cui armonia sembrava mettere a tacere il mondo, per stabilire un nuovo punto di partenza, molte cose s'erano date un nome, ogni parola un'immagine. S'eran mosse le acque stagnanti nelle quali avevo rischiato di annegare.

Avevo circa quattordici anni. Ora sapevo soffrire soltanto delle cose a cui potevo dare un nome; sapevo soffrire ad occhi aperti. Le contrarietà che tornavano inesorabili non mi servivano più a desiderare la sparizione dal mondo, il sonno; ma a pensare come e quando avrei potuto essere padrone dei miei giorni. Il vortice dei rozzi contrasti della gente che avevo attorno, anche se tornava ad infuriare, non mi trascinava più nel suo gorgo. A meravigliarsi ero il primo io, anzi l'unico, ma riuscivo a guardare le cose che tanto mi avevano straziato, quasi non mi appartenessero più: assistevo a spettacoli.

I marmi di San Michele non esercitavano più su di me il fluido magico e confortante che spesso mi aveva sorretto quando stavo per cadere; tutt'a un tratto avevo semplicemente scoperto che la loro magia derivava dalla loro bellezza; mi sembrava di capire che il senso di quei ritmi, di quei colori, il significato delle statue, derivava anche dal contenere tanto tempo e tanto lavoro umano. Capivo che il girellare che mi era stato concesso dagli eventi familiari, mi aveva condotto fuori dal tunnel nel quale avevo tanto camminato a tastoni; ero uscito all'aria aperta, al sole, al vento ed alle voci: ero abbagliato.

La mia città, tutta antica, piena di altri esseri che prima non riuscivo a vedere, ora mi parlava; ora avevo scoperto troppe cose capaci di fare una breccia nella corazza di solitudine e di disperazione che mi aveva rinserrato; eppoi avevo conosciuto una bambina; era venuta al fiume con me, avevamo fatto il bagno assieme, ero riuscito a scatenarmi, a rompere le barriere di ogni antica reticenza.

«Però se ti spogli tutto nudo un'altra volta, con te non ci vengo più.»

«No, terrò le mutande, ma tu torna con me.»

«Se smetti di fare il trogolone con te ci vengo volentieri.»

«Terrò le mutande, ma qualche volta mi fai toccare, un momentino solo.»

«Vuoi stare zitto!»

«Dopo starò zitto! se vorrai, potrai toccare anche te.»

«Smettila. Sarà meglio che ognuno vada per conto suo.»

«No, no.» Erano bisticci, ma in essi c'era un embrione di felicità vera. Non si trattava d'intendersi, ma di sentirsi vivere perché si è, perché le azioni precedevano la consapevolezza della loro ragione di essere, perché nulla era premeditato e tutto esplorazione. Il mio tunnel era sfociato in una strada più agevole che, forse, portava ad una qualche destinazione.

Il tatto, la vista

Lontano non potei andare di certo. Tornai alle lunghe ore della bottega; le interminabili contrattazioni sul prezzo, prima che i clienti si decidessero a pagare, erano estenuanti; ma ora tutto questo non mi annichiliva più, nelle ore morte leggevo, sapevo appena leggere, ma mi accorsi che in una sola ora di lettura mi appropriavo rapidamente di tutti gli accorgimenti necessari a quest'arte; m'aiutava forse essere nato in quella Toscana, in quella Lucca dove le variabili delle parole scritte capivo di averle avute a portata di mano fin dalla nascita.

Si può credere di conoscere ciò che contiene il nostro passato; ma qualche volta, inaspettatamente, tornano dal trascorso lontani inaspettati messaggi nei quali si recepiscono segnali: provengono da ciò che non sapevamo più d'aver in qualche modo vissuto e poi perduto. Dagli anni di scuola, di cui avevo qualche memoria di bacchettate sulle mani e, più vivamente, di mortificazioni provocate dalla mia insufficienza, credevo di non poter riesumare nulla di più; invece da quel vuoto, qualche volta, giungeva un nome, qualche frase. C'era qualche cosa di misterioso e rassicurante nel nome di Leopardi, ed in quelle frasi che poi, pian piano, avrei scoperto che erano versi, poesia. Tuttavia, prima di riuscire ad attribuire importanza a quei messaggi sommersi dovevo seguire un itinerario apparentemente privo di meta.

Ricimero era un ladro gentiluomo, se ricordo bene; le sue gesta erano raccontate in fascicoletti che farebbero rabbrividire i ragazzi d'oggi per la loro rozzezza, per l'infima qualità della carta. Gli operai del laboratorio se li passavano l'un l'altro, poi vagheggiavano di un mondo di ricevimenti nei grandi alberghi, nelle grandi città dove Ricimero svolgeva elegantemente la sua professione. Quelle scritture non soddisfacevano le mie aspettative. Ma anche l'incontro conturbante con un libro inaspettato alla fin fine si rivelava di povere risorse; si intitolava *Incompreso*; sulla copertina c'era disegnato un ragazzo vestito di velluti e merletti. Com'erano bravi, allora, gli anglosassoni, a stuzzicare la debolezza e le frustrazioni dei poveri, porgendo loro immagini, fornendo loro motivi di evasione, fomentando sogni sul fascino discreto della loro borghesia! Per me un impossibile momento di analogie con le mie sofferenze di ragazzo.

Ora soprattutto avevo un debole per le statue sulla facciata di San Martino, oltre all'armonia e le infinite variazioni della successione dei piccoli colonnati, ora m'attraevano i valori plastici delle figure che adornavano le strutture della cattedrale della mia città; avrei voluto toccarle, quelle figure in tutto tondo e, soprattutto, quelle in rilievo sotto il portico. Riflettevo che quei manufatti erano opera della mano dell'uomo, ed era per questo che durante molte settimane, avendo scoperto che sul baluardo di San Colombano c'era lo studio di uno che modellava figure, quando potevo scappavo sul prato del baluardo e, da lontano, spiavo quell'uomo, le sue mani che toccavano figure, plasmavano la creta. Teneva la porta quasi sempre aperta e quell'androne, pieno di modelli di gesso, era l'arcana fucina nella quale mi pareva si fabbricasse la vita, l'immagine della vita. Non avevo il coraggio di avvicinarmi troppo, ma quando lo vedevo assorto nel lavoro, mi approssimavo di più. Gaetano Scapecchi non solo era uno scultore dalle qualità eccellenti, possedeva già, in quell'angolo di provincia, alcune preziosità plastiche che divennero significative in Martini e Manzù; ma era anche un uomo bonario, un possibile grande amico, per me fu la prima straordinaria conoscenza che mi permise di trasformare i miti che m'eran nati nella mente in semplici prestigiose espressioni del lavoro umano.

Mentre, al solito, cercavo di vedere che cosa faceva, un giorno si voltò repentinamente: «È tanto che ti vedo spiare; ti piace?». Feci per scappare, ma il bel sorriso dell'artista mi trattenne. Quando potei risposi: «Mi piace molto. Anch'io disegno». In quelle settimane, su imitazione di ciò che vedevo fare a lui, avevo cominciato a copiare, da qualche rivista capitatami per caso, un disegno di Michelangelo.

Gaetano mi fu amico, mi abituò a frequentare il caffè dove spesso passava le sere con qualche altro artista. Qui conobbi Beppe Ardinghi, un pittore che ancora frequentava l'Accademia di Firenze; bravissimo, ma non era soltanto un artista di grande sapienza che aveva capito la pittura, era anche un artista colto. A casa sua c'erano tanti libri; ma erano i suoi discorsi sull'arte che spalancavano davanti a me un universo sconosciuto, anche se, nelle immagini dell'arte antica che mi mostrava, scoprivo gli stessi misteri e segnali che quasi mi avevano perseguitato, attraverso l'itinerario che avevo compiuto, dalla facciata di San Michele, alle sculture di San Martino, fino all'intimidente Ilaria, che non avevo mai osato avvicinare troppo. Ma nelle dolci sere toscane, con Beppe, ve ne fu una decisiva: «Se vuoi fare qualche cosa di buono col disegno e con i colori, la pittura francese devi guardare». Mi introdusse alle immagini dell'Impressionismo, e fu come se, attraverso l'arte come l'avevo presentita nel volto antico della mia città, passassi dal linguaggio del mistero antico del lavoro umano ad un linguaggio che mi era del tutto presente, che già mi aveva esaltato nelle mie solitarie passeggiate nelle campagne. In un'altra occasione sfogliammo assieme un grande libro di riproduzioni, era arrivato da poco e quasi mi sconvolse: era la pittura di Cézanne. Per pochi attimi soltanto feci fatica a recepire; poi, come se una grande esplosione sfondasse un muraglione di là del quale ci sarebbe stata la verità, mi parve che le porte dell'universo si fossero aperte per me, e che nulla di più avrei potuto incontrare capace di appropriarsi così violentemente della mia stessa vita. Ci sono voluti quasi cinquanta anni perché capissi un poco che cosa mi accadde alla vista di quelle riproduzioni: la modesta esplorazione a cui, da quei tempi, infine mi dedicai, cominciò lì; l'arte, la natura, la realtà degli oggetti nei quali sono presenti l'uomo e la sua opera, mutavano voce, si situavano nello spazio e nel tempo secondo un senso della verità che sembrava ignoto a tutto il passato; le cose cambiavano voce, parlavano un linguaggio che andava oltre la loro presenza, il loro aspetto. Come fui grato, parecchi anni dopo, a Giorgio Morandi! Cambiò per me la visione del mondo, era come se si adattasse rapidamente ai mutamenti che, sempre più velocemente, in quel dopoguerra, cambiavano il valore dei rapporti umani, dei rapporti con le cose, con l'universo.

A questo punto occorreva impossessarsi delle parole necessarie per adeguarsi agli oscuri sovvertimenti che le nuove immagini avevano provocato nel mio povero spazio spirituale; ma non era poi tanto semplice, anche perché i libri che Beppe mi presentava ogni sera, il più delle volte erano scritti in francese. Fu per cercare di imparare i misteri di quella lingua che cominciai a frequentare la Biblioteca Statale. Tutto questo rimescolìo però non si concludeva in se stesso, riconduceva anche il balenìo delle poche cose che erano rimaste nella mia mente, che poi si riducevano ad una sola, a quel Leopardi il cui nome mi s'era appiccicato alla pelle. Cominciai a rubare tempo al lavoro, al sonno, quasi esclusivamente per rimanere in sua compagnia.

Il mio poeta, me ne accorsi rapidamente, conteneva tutto ciò che poteva occorrere a un ragazzo come me. Partendo dalle frasi, che poi erano versi, recuperate dal naufragio scolastico: «*Silvia rimembri ancora...*», dove gli «*occhi ridenti e fuggitivi*» erano capaci di farmi mancare il respiro, scopersi l'universo leopardiano dove trovavo assolutamente tutto ciò che serve per sentirsi crescere in fervore e consapevolezza. L'ampiezza di quello che stavo scoprendo, passando dai *Canti* alle *Operette*, all'itinerario dello *Zibaldone*, fu tale da convincermi che finalmente cominciavo a impossessarmi del nome delle parole.

Lo sgomento, nel comprendere lentamente che quanto più esploravo in quello spazio che mi sembrava concluso e decisivo, tanto più l'orizzonte si allargava; la sensazione che il deserto in cui si esiste non ha fine, arrivò dopo.

Dormire poco

«Farebbe meglio a pensare seriamente alla bottega.»

«Ma a bottega ci sta.»

«Con la testa proprio no, è uno svagato, è sempre stato così fin da piccolo.»

«È giovane.»

«Eppoi, la sera, va al caffè con quella gente. Pittori. Farebbe meglio a dormire di più; andare a letto più presto.»

«Ma non è un ragazzino.»

«Da bottega, delle volte, scappa anche per un'ora intera.»

Difficilmente mi si diceva qualche cosa direttamente. Questi erano i commenti che riuscivo qualche volta a sentire sul mio conto, ed in definitiva non mi dispiacevano, perché quando loro due parlavano di queste cose voleva dire che erano in pace.

Non sempre andavo a letto tardi, spesso, anzi, prestissimo, perché alle cinque del mattino dovevo essere pronto per andare a dipingere fino all'ora in cui c'era da aprire bottega. Paesaggi dipinti in un inverno rigido in cui le mani si annerivano dal gelo; nature morte dipinte nella mia camera da letto, cominciando dal primo barlume dell'alba; addirittura dipingevo anche frutta; pensando alle nature morte cézanniane ne sopportavo la presenza, anche se, per metterla in posa, bontà mia, adopravo forchette e bastoncini per non toccarla con le mani. I momenti che riuscivo a scappare da bottega li trascorrevo alla biblioteca dove ormai sapevo trovare tutto ciò che via via mi occorreva. Molti libri italiani riuscivo a leggerli in negozio durante le lunghe ore d'attesa dei clienti; quelli francesi, che ormai misteriosamente riuscivo a decifrare, li trovavo soltanto in biblioteca.

Il volterriano *Zadig*, eppoi Jean Jacques: il *Discours sur l'origine de l'inegalité*, *Emile*, le *Rêveries du Promeneur solitaire*, *La nouvelle Héloïse*; infine *Paul e Virginie* dell'ineffabile abate, e Chénier, e Lamartine, De Vigny, furono i primi incontri letterari che suscitarono anche segreti entusiasmi ideologici. Al mio Leopardi, dopo tutto, in gran parte doveva confacersi questa mia scorribanda sotto il suo incontrastato magistero. Ora, la sera, spesso andavo a dormire tardi perché ormai, la notte, quasi non confessandolo a me stesso, scrivevo poesie; la mattina continuavo ad alzarmi presto, perché, prima di andare a bottega, dipingevo. La mia magrezza era impressionante, il mio stomaco aveva l'abitudine di prendere fuoco, con una certa frequenza dal mio naso sfociavano piccoli torrenti di sangue che stentavo a tamponare. Ma di che mi sarei potuto preoccupare, la pittura e la letteratura sembravano medicine sufficienti. La contraddizione tuttavia c'era ed era assai capace di lacerare le mie serene aspirazioni; il lavoro che mi rubava il tempo non l'avevo scelto io; quello che pensavo di aver scelto, potevo anche non farlo, non me lo imponeva nulla e nessuno e, nella mia casa, appariva uno scomodo capriccio. Era come vivere due vite.

Al caffè, a casa di Beppe, l'argomento era sempre la pittura, l'arte; io avrei anche voluto parlare della letteratura, di Leopardi, dell'Illuminismo; ma soltanto Beppe sarebbe stato propenso a tali argomenti e magari avrebbe anche potuto aiutarmi. La letteratura restò segreto mio fintanto che, una sera, non proposi alcune poesie all'amico pittore. Poco dopo, assieme a Gaetano, alcuni frequentatori del nostro caffè mi vollero fare una festa particolare, mi offrirono una carta con alcuni motti latini e qualche spiritosaggine: «Così si fa all'Università con le matricole». Fui felice, tenni un certo contegno; nessuno seppe mai la qualità della gioia che mi era stata procurata. L'amicizia di quegli artisti m'aiutava a vivere, nello stesso tempo accentuava la pena che provavo al confronto tra la loro vita libera e la mia condizione. Della politica ignoravo il significato, per me la politica rimaneva la concezione della società come l'avevano concepita Rousseau e gli Illuministi; ma erano piccole vaghe idee che tenevo per me, i miei amici non avevano problemi del genere, il Fascismo che ci era attorno sembrava appartenesse ad un altro pianeta.

Due avventure militari

Scrivevo poesia, dipingevo e mi sentivo infelice per il logorante lavoro di bottega. Poco mi accorgevo della voce quadrata che invadeva le piazze e in molti casi penetrava nelle case; nulla m'accorgevo dei trionfi imperiali, che il caffè scarseggiava e veniva sostituito dal carcadé etiopico. La pittura e la letteratura erano pure, infine, un universo compiuto! Ciò che succedeva fuori di esso apparteneva ad uno spazio che non avevo bisogno di raggiungere. Naturalmente qualche volta vi venivo trascinato per un momento e mi sembrava barbara violenza da dimenticare immediatamente; eppure ci aspettava il trionfo imperiale della guerra d'Abissinia, della spietata collaborazione al trionfo di Franco. I miei coetanei erano destinati a tutte le guerre, ed io non credo che le avrei evitate se, anni prima, non avessi subito l'intervento di un bellicoso e furente individuo che apparteneva anima e corpo a coloro per i quali la guerra era l'igiene dei popoli. In virtù della mia appartenenza alle schiere degli avanguardisti, anche se non me lo ricordavo più, ero stato chiamato ad entrare nei ranghi della

MVSN: quando mi ero presentato, consigliato da tutti a non fare troppo lo strafottente, mi diedero una divisa e, una settimana dopo, dovetti indossarla giacché mi fu ingiunto di andare, al mattino presto, a fare la guardia ad una strada dalla quale sarebbe dovuto passare un personaggio importante. Ma ciò che provai a sentirmi infagottato in quei ruvidi panni grigioverdi fu provvidenziale: mi sentivo così fuori posto, provavo una vergogna di me stesso che aveva del parossistico; mi pareva che quella mia situazione fosse in assoluta contraddizione con quello a cui aspiravo, perciò decisi che mai più l'avrei indossata. Avrebbe potuto essere una decisione politica, ma in realtà non era altro che un sentimento di disagio profondo e sconvolgente, senz'altra motivazione che non fosse repulsione a quell'obbedienza assurda e soprattutto alla divisa che, per me, era come un ridicolo mascheramento. Non mi presentai più, ingenuamente non risposi alle ingiunzioni che ogni tanto arrivavano scritte su una cartolina; credevo che si sarebbero scordati di me, fino al giorno in cui non arrivò un'ingiunzione preoccupante: se non mi fossi presentato mi avrebbero costretto con la forza. Fu fissato un appuntamento e, puntuale, mi presentai alla caserma.

«Costui è uno di quei figli di buona donna, di puttana, si può pur dire, perché no, a cui dobbiamo ficcare in testa qual è il loro dovere.» Questa fu l'accoglienza di un giovane uomo, imponente, vestito da militare, con un fez fregiato di un'aquila dorata e con molti altri segni d'oro della sua potenza. Nella stanza, attorno alla sua scrivania grande, ce n'erano altre due con due militi di assai più modesto aspetto, che mi guardavano e tacevano. «Sono parecchie le volte che sei mancato alle adunate. Credi che ci si possa fregare dei nostri ordini? Stai sicuro, noi lo sappiamo come si mettono a posto i lavativi come te.» Non ricordo di essere stato spaventato, non so se nel mio atteggiamento, ci fosse magari anche un piccolo calcolo dettato dalla situazione: tenevo lo sguardo fisso nel vuoto, senza rispondere; i due alle scrivanie e l'altro che mi aveva introdotto, e che continuava a tenermi per un braccio, sembravano increduli; l'uomo urlante divenne furibondo: «Sicuramente sei ancora più cretino di quello che sembri; ma io ne ho messi a posto tanti come te...» fece un passo avanti ed un gesto per picchiarmi, poi si irrigidì, dette in escandescenze ed urlando da far tremare i muri gridò: «Picchiatelo voi, mettetelo in cella, levatemelo davanti se no lo riduco in polpette».

«Levati la cravatta e le stringhe delle scarpe» mi ordinò quello che mi teneva per un braccio. Mi chinai lentamente, ubbidendo; «Nella Milizia non c'è posto per gli imbecilli». La lentezza con cui mi toglievo la cravatta od altro, non so, esasperò di nuovo il capo: «Sbattetelo fuori, rompetegli la testa, levatemelo davanti, fatelo sparire, altrimenti...». Colui che mi teneva per il braccio, questa volta bonario, mi spinse fuori della stanza: «Torna a casa e manda indietro la divisa altrimenti ti denunceremo per appropriazione indebita». Mi spinse ancora verso le scale. Ora ero sicuramente calmo; che cosa avevo provato prima, non lo so, perché era come se non fossi stato io al cospetto di quel temibile urlatore; soltanto il suo linguaggio era riuscito a comunicarmi la rozzezza della situazione. Sarei stato felice se avessi potuto capire allora quello di cui mi resi conto molti anni dopo. Il reparto della Milizia a cui m'avevano aggregato fu inviato in Africa e, forse, al suo ritorno, poco dopo, contro il popolo spagnolo. Quando mi trovai in strada con le stringhe delle scarpe e la cravatta in mano, fui assalito da un brivido, come fosse febbre; sentivo che avevo avuto la fortuna di liberarmi d'una situazione che mi faceva orrore; quasi come la frutta e la verdura. Altra spiegazione a quello che in fondo era stato un rifiuto non avrei saputo dare.

Sarà soltanto il caso a sottoporti più volte alla ripetizione di esperienze lontane l'una dall'altra? Il fatto è che la mia seconda avventura militare, circa due anni dopo, sembrò ripetere la prima, come la mia vita recitasse un copione, o meglio un canovaccio sul quale regolarsi.

Questa volta avevo davanti un lungo tavolo con un generale, o qualche cosa di simile, in mezzo ed alcuni ufficiali ai lati, ero completamente nudo, assieme ad altri sette od otto ragazzi tutti nudi come me, costretti all'attenti.

«Perché non ti sei presentato alla leva?»

«Perché non lo sapevo, non ci ho pensato.»
Allora ci si doveva presentare spontaneamente,
le cartoline precetto non c'erano ancora.

Vidi che ebbero l'impressione che li pren-
dessi in giro.

«Che cosa vuoi dire?»

«Che nessuno me l'ha detto.»

«Ogni anno ci sono anche i manifesti su tutte le cantonate, la legge non ammette l'ignoranza di certi doveri.»

«I manifesti non li ho visti.» L'interrogante
si arrabbiò, si rivolse a tutti i nudi che gli stavano davanti: «Voi avete commesso un reato,
ve lo prometto, finirete in prigione».

Poi iniziò la visita per l'idoneità. In verità
m'ero reso conto di aver trasgredito un obbligo,
che pur conoscevo, soltanto quando, a casa,
erano venuti due carabinieri con l'ingiunzione
di presentarsi all'ufficio di leva di una cittadina
vicina, Bagni di Lucca; ma le mie risposte cor-
rispondevano alla pura verità.

Ci avevano promesso la prigione ed un duro
servizio militare, ed invece fummo tutti dichia-
rati abili ai servizi sedentari: non conoscevo
per nulla il linguaggio delle cose militari, la parola "abile" mi anniento. Ero andato quasi sicuro di essere scartato, magro e malandato
com'ero, perciò nel giardinetto davanti allo sta-
bile in cui s'era svolta la scena, mi accasciai su
una panchina e cominciarono a scendermi lacrime lungo le guance. Una ragione c'era; pensavo ad una donna, era la prima volta; la chiamavo la Palermitana, era figlia d'un alto fun-

zionario della Prefettura di Lucca; la notte passeggiava per la città con me, e mi faceva fare all'amore; era assai elegante, laureata; la sua spregiudicatezza era divenuta proverbiale in città. Benché la sua famiglia appartenesse alla casta dell'alta burocrazia, veniva a trovarmi a bottega, non disdegnava di farsi vedere con me la notte e il giorno; sapeva leggere le mie poesie, parlava di ambienti intellettuali di Roma, di Milano, dove lei aveva vissuto. Le lacrime erano di rabbia e di disperazione, l'avrei persa. Un mio concittadino, anche lui renitente di leva, intuì: «Ma che hai capito? Abile ai servizi sedentari vuol dire che ce ne torniamo a casa, che non partiremo; almeno per ora si ritorna a casa». La mia sprovvedutezza, ancora una volta, aveva trasformato un mio comportamento negativo, o perlomeno anomalo, in un risultato positivo. Restai a disposizione per altre avventure militari, ormai convinto che me la sarei sempre cavata, perché il copione al quale si ispirava la mia vita sembrava che, almeno in questo campo, contenesse ad ogni passo soluzioni impreviste.

Tuttavia le cose accadono

Se m'ero messo a piangere su quella panchina di Bagni di Lucca, era sì perché credevo di dovermi allontanare dalla ragazza, la prima con la quale avevo fatto all'amore che pensavo ormai dovesse continuare fino all'eternità: ci doveva essere però anche qualche altra ragione. In verità era assai curioso; da bambino e da ragazzo non ricordavo d'aver mai pianto, sapevo che questo era uno dei miei segni particolari, notato anche dai miei distratti familiari: le ragioni della mia disperazione dovevano perciò essere più attorcigliate ad altri aspetti dell'esistenza che conducevo in quegli anni: ormai avevo, oltre i vecchi e preziosi amici lucchesi, rapporti con molte persone in parecchi luoghi d'Italia e riuscivo a guadagnare qualche piccola somma vendendo un quadretto alle mostre collettive provinciali o, addirittura, con le prime collaborazioni letterarie.

Da quello che consideravo l'inferno della bottega, ora riuscivo ad evadere con più frequenza, grazie appunto a quei piccoli guadagni che, il più delle volte, andavano a finire nelle tasche dei familiari. Era forse anche la paura di perdere queste piccole conquiste, questi nuovi amici, che aveva provocato il disperato abbandono, lo sfogo improvviso esploso sulla panchina dei giardinetti di Bagni di Lucca? Al tempo di questa mia seconda avventura militare avevo superato i venti anni; continuavo ad alzarmi presto per dipingere, dividevo uno studio col mio grande amico e maestro Beppe, scrivevo poesie, consumavo pagine di libri che si chiamavano ininterrottamente gli uni con gli altri, trascorrendo molte ore nella sala di lettura della Biblioteca Statale. I miei imperiosi spiriti creativi, tutto sommato, ora si conciliavano meglio con il lavoro in bottega; l'unica tristezza proveniva ormai dal timore che non esistesse altra via d'uscita a quel mio modesto compromesso, tra le esigenze del lavoro detestato e quello tanto amato. Tuttavia le cose accadono. Il nostro studio prese fuoco; quello che non distrussero le fiamme fu distrutto dall'intervento dei pompieri; i dipinti che avevo accumulato in quegli anni furono pressoché tutti bruciati; mi rimase però quello che un giorno mi aveva procurato un elogio importante: «Questo sì che gliè un pittore!» aveva esclamato Ardengo Soffici di passaggio a Lucca con Felice Carena e Carlo Carrà, accolti nel nostro studio con deferente trepidazione.

Quando Beppe venne, trafelato, in bottega per avvertirmi che c'era stato un incendio nel nostro studio, straripai in un riso che per un minuto non riuscii a trattenere; Beppe, che pur mi conosceva bene, ne fu interdetto, ed io stesso non saprei dare una spiegazione a questo tipo di comportamento, anche per me inaspettato. Tuttavia, a volte, le cose sembra accadano secondo una logica: avevo ricevuto una lettera di Corrado Pavolini, che allora dirigeva *L'Italia Letteraria* con Enrico Falqui, che mi annunciava la prossima pubblicazione di quattro mie poesie: conteneva parole gentili. Il pittore si fece da parte, la letteratura prevaricava, sopraffaceva le dolcissime ore trascorse nel silenzio dello studio a riprodurre gli oggetti, i volti, i paesaggi. Non potevo però immaginare che in poco tempo la svolta si sarebbe rivelata determinante.

«Sarà,» diceva mio padre «ma qui bisogna pensare di più a guadagnarsi il pane.» Stava ricadendo in difficoltà economiche assai serie, le stesse che, in misura diversa, lo avrebbero seguito quasi per tutta la vita. Nei momenti di maggior disperazione, in cerca di una giustificazione alle sue costose intemperanze, si rivolgeva a me gridando: «Sei tu che ci porti alla rovina. Tu sei il tarlo che pian piano rode; il lavoro è una cosa seria; tu hai la testa sempre alle stranezze...» dimenticando che quel poco di libertà che mi prendevo era sempre ripagata dalle sommette che, appena guadagnate, per la maggior parte finivano nelle sue tasche. «Mi porterai alla rovina.» Io ormai sapevo leggere dietro le sue parole, sapevo che credeva in ciò che diceva, anche se non era vero; inconsapevolmente aveva bisogno di giustificazione, dell'alibi, nei momenti in cui si sentiva maggiormente responsabile, incapace di rinunciare ad alcune evasioni sentimentali ed al gioco. La vita di mia madre, quella di mio fratello, erano meno coinvolte in queste sue escandescenze, ma non del tutto risparmiate; in quanto a me, ero ormai vaccinato; c'era stato nel passato quanto occorreva a rendermi meno vulnerabile; ciò che aveva in quel senso devastato la mia infanzia, ora mi lasciava relativamente indifferente. Vivevo lì, ubbidivo alle esigenze di quella convivenza; ma non appartenevo più a loro.

Firenze, Roma e Milano, in misura diversa, ormai esercitavano su di me un'attrazione più o meno violenta, quanto più o meno avevo rapporti con gli scrittori di quelle città. Pensavo a quei luoghi che assimilavo alla Parigi dei miei sogni, a quel paradiso di libertà nel quale vedevo vivere, come fossero ancora presenti, splendidi maestri dell'Illuminismo, sdegnosi poeti maledetti, pittori che sapevano guardare il mondo con un occhio diverso; un occhio fatto in un altro modo. Intanto, durante i mesi estivi, qualche volta addirittura in bicicletta, raggiungevo Forte dei Marmi dove, in virtù dei rapporti che ormai avevo con molti pittori e scrittori, con Enrico Pea, potevo sedermi al tavolo del Quarto Platano. D'estate si poteva d'un sol colpo d'occhio intravvedere i volti della maggior parte degli uomini che rappresentavano l'arte e la letteratura italiana. Finii per avere per amici i protagonisti delle mie letture, delle opere d'arte moderne che più mi sollecitavano. Le prime poesie pubblicate, a cui ne erano seguite altre, ormai le conoscevano tutti, piacevano anche ai pittori, ed io, in mezzo a quei vecchi signori, godevo d'una certa stima.

La poesia allora aveva un peso particolare nel mondo delle lettere: dopo la pubblicazione delle prime quattro liriche su *L'Italia Letteraria*, e poche altre su *Il Selvaggio*, cominciarono ad accadermi cose assai singolari. Il primo segno l'ebbi un sabato pomeriggio, mentre stavo in bottega a badare ad alcuni clienti; s'affacciarono dei giovani all'ingresso e chiesero di me: «Sei tu Guglielmo?».

«Sì.»

«Noi siamo venuti in bicicletta da Pisa, vogliamo conoscerti, siamo della Normale.» Non sapevo cosa fosse la Normale, ma a giudicare anche soltanto dall'aspetto di quei ragazzi ci voleva poco a capire che si trattava di universitari.

«Per conoscermi?»

«Sì, da Pisa, in bicicletta; abbiamo letto lo scritto di Binni su *Il Campano*.»

Non so cosa risposi; d'un colpo capii in quale modo poteva correre per il mondo la poesia, portare solidarietà umane insperate. Chiesi ai miei di uscire, andammo al caffè, erano otto o nove, ma alcuni dei loro nomi non li ricordo.

«Da Pisa non è faticosa, è una lunga passeggiata.»

Erano ragazzi come me, per un momento li guardai con una certa soggezione, ma si comportavano semplicemente; ancora pensai che la poesia correva per il mondo più di quanto non

65

sapessi, o potessi fino ad allora immaginare. Altri di loro non li ho dimenticati, furono e sono presenti nella cultura italiana; c'erano Mario Manacorda, Vittore Branca, Carlo Cordié, Walter Binni, Pietro Viola, Aldo Borlenghi, Giuseppe Dessì. Stemmo assieme una serata intera, mi parve che mi considerassero come uno di loro, ed il fatto che, pur vendendo scarpe, potevo non provare più soggezione e sentirmi uguale ad un coetaneo universitario, quella sera ritardò il mio sonno.

Gli uomini come sono

I volti di coloro che hai pensato a lungo, che hai amato da lontano senza averli mai visti, non somigliano mai molto al disegno che la tua mente ha elaborato; né le voci, né i gesti corrispondono. Un verso, un racconto, una polemica od un dipinto, non servono, non aiutano a rendere più preciso il loro autore, che hai immaginato come un fortunato essere che vive oltre il tuo pianeta. Guardare infine con occhi bene aperti ciò che avevi dovuto immaginare e che poi ti trovi davanti, cancella inevitabilmente l'immagine che ti eri costruita, aiuta a liberarsi delle illusioni, a crescere in se stesso.

A Forte dei Marmi, quei primi incontri, le successive amicizie, furono decisive. Forte dei Marmi non era lontano, durante la stagione estiva potevo andarci spesso. Scoprivo che gli idoli, appena li conoscevo, potevo sistemarli tranquillamente nel mio quotidiano; la mia vita, sia pure con le sue difficoltà, si svolgeva nello stesso spazio in cui ora avevo potuto vedere loro. I miei pittori, Carrà, De Chirico e De Grada, Sironi e Carena, Tosi, coi quali mi sedevo allo stesso tavolo, assieme agli scrittori che più conoscevo, De Robertis, Angioletti, Soffici, Papini, Delfini e Pannunzio, qualche volta Moravia, Pea, tutti mi sorridevano ed io dimenticavo che per essere con loro, per sentirmi in quei momenti come loro, rubavo ore al sonno, mi urtavo con la fatica quotidiana di un lavoro che mi pareva ingiusto: ero o non ero un artista, un poeta? Enrico Pea, dopo l'estate, tornava a Lucca dove viveva; cominciammo a vederci una volta al giorno, la nostra amicizia, malgrado la diversa età, non ebbe interruzioni fintanto che non partii definitivamente. A suo modo Pea era un maestro; per me il maestro ideale, perché attraverso lui, la sua vita, la sua continua comunicazione d'una pungente saggezza tutta particolare, capivo che l'esperienza e la sensibilità possono formare gli artisti e renderli capaci di cultura; mentre la sola frequentazione dei libri non basta, né per fare un artista né per fare un uomo colto. Al Forte, la persona che maggiormente s'imponeva, col suo volto da imperatore romano, e la solennità con cui porgeva ai più giovani le sue affermazioni, era Ardengo Soffici; aveva un ascendente assai forte su noi ragazzi. Dopo poco che l'avevamo conosciuto, a me ed a Arrigo Benedetti, ci sentenziò: «Se io fossi giovane, e voi lo siete, l'avrei già tolto di mezzo. Quello è la rovina del paese, è la rovina d'Italia. A voi spetterebbe il coraggio di agire». Ci lasciò senza fiato. «A voi, scoprire un po' di libertà.»

«Ma è difficile anche soltanto parlare.»

«Appunto!»

«Viviamo in provincia.»

«Se avete vere aspirazioni intellettuali dovete avere la forza di lasciare la provincia. Viaggiare, agire.»

Pensavamo a Parigi; la Parigi che lui aveva vissuto e ci aveva raccontato; ci sentivamo un poco annichiliti, ma le sue virulente incitazioni, per la prima volta, ci inducevano a prendere consapevolezza della qualità del mondo politico italiano di allora. Proprio lui, che ci affascinava con quel cipiglio e quel tipo di coraggio civile; l'unico di tanti coi quali ci si vedeva, a quei tempi, al Forte, che affrontasse gli argomenti della vita politica, dei diritti umani, della libertà, è stato l'unico che, ad un certo punto, anche in virtù dei significati che davamo a quelle sue solenni dichiarazioni, abbiamo dovuto guardare come un nemico, un protettore di quello che egli ci aveva indicato come la nefandezza della vita civile. Ci aveva tradito? aveva tradito se stesso? Resta il fatto che quello che sapeva ergersi come un poderoso gigante, è stato l'unico privo delle semplici virtù che salvarono, nei momenti difficili, la maggior parte degli altri intellettuali che sedevano tutte le estati con lui sotto al Quarto Platano.

Che la retorica, quando sopraggiunge, sia come una malattia che uccide il senso comune?

Gli uomini del Quarto Platano incontrati assieme, frequentati in quel tempo, a modo loro risultavano tutti dei maestri; ci insegnavano infatti tutti qualche cosa e nessuno ci diede delle vere e proprie delusioni anche quando, molti anni dopo, noi più giovani, coinvolti nel vortice dei mutamenti ed infine nell'impegno di una vera e propria guerra, ci allontanammo da loro per qualche anno. Soffici fu la ferita, la delusione che sopportammo con dolore: portavamo con noi gli insegnamenti della sua eloquenza, ma soprattutto le immagini della vita europea, che lui aveva reso più vicine a noi attraverso i suoi libri di vita e di cultura parigine; avevamo ammirato la sua vivacità sperimentale, i suoi racconti della prima guerra mondiale; ed ora ci rimaneva la sua immagine come dolorosa testimonianza della desolante possibilità umana dell'imprevedibile, della contraddizione e dell'errore.

Ma Firenze era vicina; ormai anch'io non la pensavo più come un universo remoto; senza che me lo aspettassi me la trovai veramente vicina, Firenze era l'approdo, Firenze era la meta.

«Vieni a farti conoscere» mi scrisse Silvio Guarnieri.

«Non posso ancora, ma appena avrò i soldi per il treno;» il treno costava quasi quattro lire. Passarono due settimane e mi arrivarono cento lire: «Ora vieni e stai un po' qui».

Partii per Firenze, anzi per le Giubbe Rosse. Era in quel luogo, in quel caffè che non avevo mai visto, che pensavo si sarebbero acquietate speranze e ambizioni: "Che mai di più?" mi dicevo "se potrò stare allo stesso tavolino con loro? oltre, che mai ci può essere da desiderare?".

Di loro ormai sapevo tutto, con quasi tutti avevo scambiato qualche lettera.

Tuttavia entrai nel locale senza particolari emozioni; il cuore, che dalla remota infanzia usava rinserrarsi affinché potessi essere meno vulnerabile, questa volta fu quieto. Non vi furono particolari sussulti, non spuntarono barricate in difesa della mia fragilità; senza nemmeno accorgermene mi offersi completamente indifeso: non era necessario prevenire nulla, mi avviavo ad un luogo che abitava già da tempo in me, «Oh! Petroni» fu il debole saluto dei nuovi amici che, dopo una stretta di mano, tornarono immobili e silenziosi. Rimasi lì con loro; ed i silenzi erano lunghi, inevitabilmente ammorbiditi dai gorgheggi baritonali di Montale.

Bonsanti mi rivolse qualche buon sorriso. Vittorini mi domandò se avevo già cercato l'albergo. Imparai presto che quei silenzi non mettevano a disagio, non contenevano nulla di imbarazzante; parevano anzi dialoghi rassicuranti. Imparai poi che in certi momenti la parola fluiva quasi eccitante; discussioni spesso esplodevano inaspettatamente anche se, per lo più, consistevano in battute brevi, in spiegazioni costruite col minimo delle parole necessarie, spesso pungenti: l'ironia di alcuni tagliava e cuciva. Un argomento che ricorreva quasi giornalmente riguardava le lettere che ognuno aveva ricevuto da poeti e scrittori lontani, da Roma, Milano, Trieste.

Nei giorni che seguirono il mio ingresso alle Giubbe, Sebastiano Timpanaro fu il primo a manifestare un po' più ampiamente la curiosità per la mia presenza; gli altri pareva che avessero bisogno di studiarmi un poco. Timpanaro volle sapere se era vero che lavoravo in una bottega di scarpe.

« Quella di mio padre. »

« Allora sei ricco. »

« Veramente no. »

« Hai poesie inedite? »

« Le ultime sono uscite sul *Selvaggio*. »

Non fui sconcertato nemmeno al primo incontro; era come se già conoscessi quel comportamento, quei silenzi; all'ora di salutarci però, Montale e qualche altro si preoccuparono s'io sapevo dove avrei potuto cenare. « A casa mia » rispose per me Vittorini che già mi aveva avvertito.

Dopo cena, i figli a letto e Delfina in cucina, rimanemmo noi due soli a bisbigliare; più che di letteratura, conoscevamo il reciproco lavoro da tempo, parlammo delle nostre miserie quotidiane; Elio aveva una vita difficile, anche se Delfina, che era sorella di Quasimodo, aiutava la barca lavorando in una tabaccheria; malgrado le sue difficoltà fossero forse maggiori delle mie, io provavo invidia per lui: scriveva, si interessava solo del suo lavoro letterario; questo mi pareva dovesse ripagarlo d'ogni difficoltà, mentre io, tutto il giorno a bottega, finivo per confessare all'amico che avrei sopportato difficoltà anche maggiori, se avessi potuto, come lui, affidarmi interamente alla letteratura.

Presi anch'io l'abitudine ai lunghi silenzi. Ma tuttavia gli argomenti non mancavano, ed ogni commento spesso mi sarebbe stato di difficile comprensione, se non fossi approdato tra quel minimo esclusivo gruppo di persone quando già conoscevo molto di loro, di quell'angolo di esercizio pubblico che infine non era che un'isola i cui abitanti, o si concentravano nell'assuefazione a vivere vicini l'uno all'altro, o saltavano il mare agitato che li attorniava, dimostrandosi presenti e consapevoli di idee e di avvenimenti lontani, specialmente cose di Francia, ma anche d'Inghilterra, ma anche del resto del mondo.

Il primo approccio con Gadda non tardò molto; mi si mise vicino: «Bella Lucca». Fu subito attento alle mie parole, alcune cominciò ad appuntarle su un taccuino; me le faceva ripetere ed erano quelle parole lucchesi di cui non facevo risparmio. Tutti comunque, ben presto conversavano volentieri con me; Montale, nei nostri primi approcci, mi parlò lungamente della psicanalisi, dell'ultima sigaretta di Zeno, e mi parve quasi meravigliato quando potei dimostrargli che quegli argomenti non mi erano del tutto estranei. Loria era un poco l'animatore, sapeva concentrare su di sé l'interesse degli altri, per il suo parlare composto d'un fiorentinismo particolare non privo di qualche esibizionismo; c'era in lui qualche cosa dell'intellettuale francese; lo capii diversi anni dopo, quando fui con lui a Parigi, quanto egli conoscesse ed amasse la Francia. Piuttosto estroso, era quello che si avventurava più spesso in polemiche letterarie: se si parlava di colleghi italiani c'era sempre una punta di sarcasmo, ma infine era difficile che il suo giudizio risultasse distruttivo anche se, spesso, un nome, un argomento, senza subire violenze verbali, ne poteva uscire assai malconcio.

Prima che mi congedassi, alla fine della mia prima visita ai fiorentini, Montale e Gadda mi invitarono a cena all'Antico Fattore; mi fecero parlare molto, vollero sapere tutto delle mie giornate lucchesi, della mia pittura, del negozio di scarpe. Non sapevano che parlandomi con naturalezza di ciò che per me era stato per molto tempo situazione di grande disagio, stavano felicemente distruggendo gli ultimi residui dei miei pregiudizi. Prima che ci lasciassimo, proprio in quel primo nostro lungo colloquio, Gadda mi fece una domanda: «Come ti è venuto in mente di scrivere?».

«Non so, dipingevo soltanto, ma orellanno è bruciato lo studio dove lavoravo con un amico, proprio quando *L'Italia Letteraria* ha pubblicato le mie prime quattro poesie.»

«Orellanno, splendido. Me lo segno.» Questa domanda, di cui m'ero subito dimenticato, doveva tornarmi a mente pochi giorni dopo, quando ricevetti una lettera di Montale che m'informava che Carlo Emilio era sulle spine perché temeva di avermi offeso. Mi parve strano, feci un po' di fatica a capire, poi risposi pregando di rassicurare l'amico, giacché io quasi non ricordavo quella frase. Riscrisse Montale, Gadda non si placava: sì, ero gentile a dire che nemmeno mi ricordavo, ma in realtà, secondo lui, era impossibile che potessi non esserne offeso. Scrissi direttamente a Gadda, più incuriosito che preoccupato, ma mi fu confermato che non riusciva a convincersi e si agitava. La cosa si protrasse per un bel po' di tempo ed ai miei occhi appariva quasi un giuoco, che mi lasciava perplesso, non senza una punta di preoccupazione: ancora non ero temprato alle inevitabili umorosità che, non soltanto in Gadda, affioravano nell'ambiente fiorentino. Soltanto al mio ritorno a Firenze, trovando Carlo Emilio gentile e piacevolissimo, ormai grande amico, trovando Montale che sorrideva sornione, cominciai a capire quanti risvolti veri e immaginari, sofferti o solo recitati, da nevrotico e da istrione insieme, potevano scaturire specialmente dall'amicizia con Gadda. Cominciai così ad intravedere il lato imprevedibile e segreto del mondo che mi aveva accolto; era un mistero buffo che in realtà conteneva angosce miste a piaggerie, divertimenti mischiati a paure. Attraverso tutto questo si potevano comunque capire le segrete incertezze, le blande difese dietro le quali gli amici fiorentini dovevano proteggersi.

A Firenze il linguaggio delle immagini si dilatò quasi d'un sol tratto; le pietre non suggerivano più misteri che entravano dentro senza annunciare il proprio significato, come suggerissero misteriosamente da un al di là; le pietre del campanile di Giotto dicevano subito di essere opera di un uomo, la cui bellezza plastica si poteva leggere non soltanto sul metro delle emozioni, ma anche nel significato storico del momento in cui erano state create, nel punto che segnavano del divenire del mondo, del manifestarsi dei significati del lavoro umano, dell'arte. La pittura nei musei, che cominciai a frequentare per la prima volta a Firenze, acquistava i medesimi significati posti in una dimensione fisica diversa.

Firenze infine mi aveva inquadrato nel vivo, nella realtà d'un mondo contemporaneo che io, da lontano, avevo frequentato soltanto con l'immaginazione, attraverso testi e notizie, legandomi di affetti e di interessi alle persone che lo componevano e che ora erano amiche. Che avevo mai fatto per meritarmelo? Per quello che potevo capire, durante l'oscura ed assai lacerante fatica che avevo affrontato per uscire dal tunnel, dal labirinto d'una infanzia stravolta, l'incontro col volto millenario delle opere umane del territorio in cui ero nato e cresciuto, m'aveva procurato il sostegno, il suggerimento.

Dopo la prima visita fiorentina seppi che avevo raggiunto un inaspettato ampliamento dei miei orizzonti intellettuali, qualche cosa che ancora non conoscevo e che, oltre tutto, portava una specie di serenità, una specie di sicurezza che ricevevo come un dono degli amici appena conosciuti, ma già tanto frequentati nella mente. Avevo varcato una frontiera, mi lasciavo alle spalle l'allucinata sequenza di incertezze, di tremebondi pudori, la vergogna di vivere in mezzo alle scarpe e aspirare alla poesia, e molte altre cose che mi avevano dilaniato.

Quelle prime giornate fiorentine, che avrebbero potuto in qualche modo accentuare il mio precario rapporto con la realtà, col duro lavoro di bottega, m'aiutarono invece a vivere i pochi anni in cui ancora dovevo continuare a dividermi tra la bottega e la letteratura, non più come una lacerazione, ma come una situazione nella quale non c'era nulla di anomalo o di vergognoso. In particolare m'aveva aiutato Raffaello Franchi che, in una lunga conversazione ad un tavolo del caffè, in piazza, m'aveva detto: «Tu continua a scrivere. Anche tutti noi, salvo una eccezione o due, abbiamo la nostra bottega da cui si vorrebbe scappare. Non bisogna sentirsi umiliati per quello che si è costretti a fare; saper guardare in faccia le proprie situazioni è l'unico modo per uscirne». Lui doveva vivere quasi esclusivamente della sua pensione di mutilato della Grande Guerra e, certamente, conosceva cosa significa avere delle difficoltà. Anche le sue parole comunque giunsero a segno; furono decisive per la mia liberazione. Era avvenuto proprio il contrario di quello che temevo, l'umiliazione che pensavo avrebbe dovuto crescere dopo aver conosciuto i fiorentini, tutti dediti al proprio lavoro letterario, s'era quasi del tutto disciolta; per la prima volta non dubitavo che un futuro prima o poi l'avrei avuto. Montale stesso m'aveva aiutato: «Fai buona poesia; forse senza gli ostacoli che devi affrontare non l'avresti raggiunta. Che ne sappiamo. Lavora e vedrai che troverai anche tu altre strade, ma non ti illudere che saranno migliori». Quando ci salutammo alla fine di quella mia prima visita, mi aveva detto, quasi velocemente: «Un po' più di punteggiatura, qualche rima in più, del resto, questo tono discorsivo è il tuo, forse è giusto così».

«È un pregiudizio borghese,» m'aveva detto qualcuno di loro «un poeta va avanti come può, quello che conta è la propria necessità di esprimersi, se crede in quello che fa.» Ora non soffrivo più, non provavo vergogne, non subivo remore, anche se l'ideale rimaneva quello di una liberazione dalla famiglia e dai piedi sudati dei contadini miei clienti.

L'educazione sentimentale

La donna, per la quale avevo seminato qualche lacrima sulla panchina dei giardini di Bagni di Lucca, m'aveva insegnato a fare all'amore; purtroppo aveva anche introdotto nella mia testa assai confusa, il tarlo della gelosia; pareva infatti che non fossi l'unico, anche se da parte mia spendevo una forte quantità di energie per non crederci: mentire a me stesso in quel momento doveva giovarmi assai.

Aveva la mia età, s'aggirava per la città suscitando agitate curiosità; camminava in mezzo alle vie cittadine avanzando con la testa alta.

Prima dell'incontro con lei, l'amore s'era fermato sugli occhi lucenti e fuggitivi della piccola recanatese; poi aveva vagheggiato intorno a quella Héloïse Nuova costruita da quel pasticcione di Jean Jacques; infine s'era fermato a lungo, anzi perduto, sul profilo della mia concittadina Ilaria la quale, nel gelo del suo marmo lucido, mi faceva credere che la beatitudine della bellezza esistesse, o almeno, fosse esistita.

Ma, prima ancora, la folgorazione era giunta da una fotografia Alinari che riproduceva, in particolare, le due fanciulle che, incuranti delle

prodezze di Diana cacciatrice, del Domenichino, si bagnano in poca acqua, quasi bambine,
fiorite e nuovissime. La loro visione, così car-
nalmente vera, aveva prodotto una specie di
folgorazione, come una vertigine non priva
d'un certo imbarazzo perché erano due e, per
giunta, a metà immerse nell'acqua.

Malgrado tutto, per me non era stato facile
nemmeno arrivare al livello delle due ninfette,
o delle Héloïses, o Silvie; questi amori avevano
rappresentato un notevole salto di qualità; infatti i precedenti consistevano in alcune esperienze un po' macchinose e meno spirituali, se
così si può dire.

Sul Baluardo di Pelleria, uno dei tanti delle
famose mura di Lucca, in un'epoca assai precedente, tra i miei nove o dieci anni, un giorno
di festa, bighellonando solitario e aggrovigliato
come sempre, vidi alcuni miei coetanei, assai
più allegri di me, che facevano scivolarella lungo un palo appoggiato alla muraglia che si trova al centro del baluardo, in attesa di essere
utilizzato per uso elettrico o forse telegrafico,
non l'ho mai saputo. Aspettai che venisse tardi
e tutti se ne fossero andati, eppoi salii anch'io
sul muro, mi misi a cavalcioni del palo e iniziai
il breve viaggio che risultò una lunga esplorazione nel mondo dei misteri e dei tormenti di
Eros. Durante la scivolata, ad un certo punto,
provai qualche cosa di inedito per me, un momento di esaltata estasi, di risveglio del corpo;
ebbi l'impressione di aver varcato una soglia
ignota, dubitai che esistessero mondi ignoti da

esplorare. Dopo il primo stordimento tornai quasi subito sul palo, scivolai di nuovo, ma non successe più nulla; riprovai molte volte; il giorno dopo tornai ancora, ma il palo non c'era più. Avevo dunque visitato qualcosa di tanto fuggevole che forse mai più si sarebbe riproposto, anche se ne persisteva così smisurata memoria?

Ma la spiegazione, o almeno i primi elementi per comprendere, ebbi occasione di trovarli qualche tempo dopo in un casolare fuori della città, mentre giocavo con una coetanea contadinella con le treccine uguali a quelle delle ninfette del Domenichino. Ci trovavamo al pianterreno del fienile, soli e non visti, ci si buttava sul fieno, ci si abbracciava, ed io toccandole la pelle delle cosce, pian piano scivolai con le dita fin sotto le mutandine; lei, sicuramente più erudita di me che non mi rendevo conto di ciò che stavo facendo, infilò la manina lungo la mia coscia, sù, oltre il calzoncino corto; inaspettatamente il miracolo si ripeté, presso a poco uguale a quello del palo, ma forse più affascinante. Per un momento altra folgore; durò però poco, d'un tratto mi si spalancò una porta immensa: di là c'era la regione in cui viveva l'amore! Ne conoscevo l'esistenza per sentito dire, ora avevo scoperto dove abitava. In quel momento seppi anche che il mio primo amore era stato un palo della luce, o del telegrafo, non si seppe mai.

Ora però ero arrivato a possedere una donna vera, su un letto vero e m'illudevo ormai di essere un uomo, e anche esperto, maturo e navigato; ma non potendolo spiattellare a tutti gli altri, finivo per darmi delle arie con me stesso.

L'esperta Palermitana, però, ci mise poco a farmi capire a tutte mie spese, che ero un passerotto, per di più pieno di zucchero e miele. «Ti struggi tutto, ti par proprio il caso? Un po' citrullo lo sei proprio, eppoi di cose ne hai da imparare. Vien qua.» Mi avvicinavo e, ogni volta, ne imparavo una nuova.

L'inserimento

In città, qualcuno cominciò ad interessarsi ai miei casi. Forse la Palermitana, che accompagnandosi a me, senza pregiudizio per la mia condizione proletaria, fu d'aiuto affinché qualche signora, qualche coetaneo di famiglia nota nella città si accorgesse della mia esistenza.

«Intelligente lo sei davvero, ma il bridge non lo imparerai mai.» Era la prima cosa a cui mi avevano indotto, la sera, quando mi invitavano nelle loro bellissime case antiche. A bridge, malgrado l'applicazione più accurata, non facevo un passo avanti; in compenso sapevo apprezzare nel modo giusto i loro splendidi mobili, i quadri importanti delle loro case, i loro pranzi eccellenti, le loro merende raffinate.

L'insieme non era poi granché, salvo qualche eccezione; per quella gente, che poco prima m'avrebbe intimorito alquanto, ora, qualche volta, potevo trovare anche la parola adatta per indurla ad una valutazione diversa da quelle che scaturivano dalle loro antiche convenzioni.

Gli oggetti della casa ricca si ricordano nei particolari, hanno un volto, una data; mentre quelli della casa povera non hanno data, discendono dalla notte dei tempi. Ora li sapevo riconoscere gli oggetti della casa ricca, forse in qualche caso li desideravo anche; ma in realtà rimanevo il buongiorno e la buonasera di questi nuovi amici, della loro vita diversa da quella che conoscevo da sempre e, soprattutto, da quella della Firenze che occupava tutti i miei pensieri. Gli oggetti della casa ricca erano dunque strumenti necessari per capire molte parole che hanno un doppio nome; quello vasto del dominio dei poveri e quello degli altri, la cui conoscenza nasconde il segreto del potere, dell'egemonia di chi, con più numerosi strumenti, ha maggior probabilità di allargare il senso del proprio linguaggio. Dunque il mondo non finisce mai di allargarsi attorno, quando si guarda con tutti e due gli occhi, si ascolta con tutte e due le orecchie, si ama constatare la sostanza plastica delle cose. Le parole sono la chiave; quelle che mi aiutavano a vivere, quelle che scrivevo, potevano rivelare i segreti di tutto ciò che avevo sperimentato, compreso i tarli del mio recente passato, ed anche quelli alimentati da tante letture, dalla poesia e dalla pittura, dai volti degli altri, dall'aspetto delle cose che ci attorniano, dall'immensa variabilità della natura, del cielo.

Da Firenze, grazie specialmente agli stimoli di Bonsanti che mi chiedeva pagine per *Letteratura*, ricevevo spesso un compenso di cinquanta lire. Ad ogni rimessa, sfidando i vigorosi malumori paterni, abbandonavo bottega e correvo alla stazione a prendere il treno per Firenze, anzi, per le Giubbe Rosse; lo facevo in fretta anche perché c'era sempre presente una cambiale che non si sapeva come pagare e, se aspettavo, anche i miei pochi soldi servivano; con tante cambiali in agguato il sacrificio dei miei proventi non era mai di troppo.

Anche la somma del premio che mi era stato assegnato per una poesia, (era il primo premio per la poesia che fosse stato istituito in Italia), benché fosse tale, almeno alle mie valutazioni, da potermi permettere di tentare l'affrancamento dalla vita lucchese, finì nel calderone familiare. Erano mille lire; il premio portava il nome di una rivista, *La Cabala*, che usciva a Roma. Avevo inviato una poesia e, un mese dopo, non avendo avuto la possibilità di trovarmi a Roma come mi era stato richiesto, andando ad aprire la bottega, sulle locandine de *La Nazione* vidi, in testa, a caratteri grandissimi un titolo che capii subito che mi riguardava: «Poeta lucchese vince il premio Cabala»; tra i giudici c'erano Bontempelli, Ungaretti, F. T. Marinetti, Sibilla Aleramo, Ugo Betti, e pochi altri che non sapevo chi fossero. La contentezza che ne avevo ricavato tra me e me, si tramutò quasi in vergogna, quasi in fastidio, quando gli stessi commercianti di via Santa Lucia, dove si trovava il nostro negozio, si avvicinarono per commentare, ammiccare, sorridere. Arrivò poi mio padre, raggiante. Dopo qualche giorno il mio problema fu partire per Roma a riscuotere la somma che avrebbe dovuto trasformare la mia vita; stavo studiandone la possibilità quando lo stesso genitore si offerse; era inverno, mi comprò un cappotto di una stoffa che pesava come il piombo: «Vai a prendere queste mille lire, non le possiamo mica lasciare a loro».

Approdato a Roma telefonai subito, mi rispose qualcuno che mi disse di aspettarlo a Largo Chigi. Arrivò infatti un giovane signore, elegante, gentile e assai imponente, che s'incamminò con me: «Ma perché non è venuto al premio, perché non è venuto almeno subito? son passate quasi due settimane».

«Non ero ancora pronto.»

«Pronto a che.»

Spiegai, i soldi del viaggio, il cappotto.

«Va bene, ora è qui, accomoderemo tutto.» Mentre camminavamo sul marciapiede della Rinascente, alcuni passanti si scostavano con reverenza al nostro passaggio; il giornalaio porse il giornale al mio accompagnatore e non volle essere pagato. Aveva fretta, poco dopo mi lasciò con un appuntamento per la sera in un ristorante. Libero fino a sera, chiamai Mino Maccari, ci si incontrò al caffè Aragno; raccontai del mio incontro e si mise a ridere: «Si chiama Nino D'Aroma. È il federale di Roma; dirige la rivista che ti ha dato il premio. Sua moglie è piuttosto brava, è la Pavlova, un'attrice».

Roma, per me, era Mino Maccari, era *Il Selvaggio* su cui avevo pubblicato qualche poesia e alcuni disegni. Roma era anche il grande richiamo per i giovani artisti e scrittori italiani; lo subivo anch'io, ma assieme ad una penosa diffidenza nata, prima di tutto, dal confronto tra le "Giubbe Rosse" e "Aragno". Aragno era rumoroso, vi traboccava l'ironia corrosiva, sembrava che nessuno credesse veramente in qualche cosa; scetticismo e preoccupazione trapelavano in quel vitalissimo intreccio dispettoso delle battute. Regnava sugli altri Cardarelli il cui genio della risposta pronta, affascinante spesso, pareva privo d'ogni possibile sfumatura di amicizia, quell'amicizia che a Firenze trapelava anche dai silenzi. Amerigo Bartoli, quando me lo presentarono, s'affrettò a farmi una caricatura che pochi giorni dopo fu stampata, a Milano, sul *Diorama letterario*, la pagina letteraria de l'*Ambrosiano*; Gabriellino d'Annunzio si mise a proteggermi; a notte alta, quando ci si alzava dai preziosi velluti dei divani del caffè, lui usciva con me e mi accompagnava fino alla porta dell'albergo. Una delle prime sere, voltando l'angolo tra il Corso e via Condotti, fummo quasi travolti da un colorito manipolo di puttane, tutte svolazzi e sciarpe, che fuggivano spaventate; una mi urtò violentemente: «Coglione, non sei mica un poliziotto?». Dietro a loro, a qualche decina di metri, c'erano proprio i poliziotti che le rincorrevano, anche loro ci investirono, due ci fermarono e ci chiesero i documenti, capitava quasi una volta al giorno, a Roma, e non soltanto di notte: «Sono Gabriele d'Annunzio» disse Gabriellino, sicurissimo del risultato; il poliziotto infatti fece un passo indietro, un inchino, e noi ce ne andammo tranquilli.

«Mio padre mi protegge anche da morto. Non sanno nulla di nulla.» Effettivamente Gabriellino assomigliava moltissimo al padre com'era negli ultimi anni, almeno dalle fotografie. Da Aragno c'era però anche Bruno Barilli; non sembrava del tutto assimilato al clima assai teso che regnava nella Terza Saletta; Barilli mi apparve subito la persona con la quale avrei potuto intendermi meglio: il tempo, molto più tardi, mi diede ragione. Rispondeva lentamente, sottovoce, con frasi sottili, da attore consumato, un poco blasé, ma anche pronto a farti capire che dietro la maschera c'era un uomo di intelligenza vivida, pigro, indipendente, libero come nessuno degli altri suoi amici romani riusciva ad esserlo, malgrado la spavalderia. Ero a Roma da diversi giorni, dovevo tornare, i redattori de *La Cabala* non parlavano della somma che mi dovevano; mi feci allora coraggio, la chiesi: «Hai aspettato troppo, non c'è più tutta». Mi sentii gelare: «Se te ne diamo ottocento ti va bene?». Accettai velocemente. Ormai m'ero trattenuto troppo ed a conti fatti mi rimanevano soltanto seicento lire, sulle quali comunque facevo progetti di viaggi e di evasione, progetti che non appena misi piede a Lucca sfumarono in un fiato: «C'è una cambiale che va in protesto, è già in mano all'ufficiale giudiziario, bisogna pagare prima di mezzogiorno di domani; non so come fare, è un vero miracolo che tu abbia questi soldi; questi però te li ridarò». Sapevo che non l'avrei mai più visti; ancora una volta la mia indipendenza si allontanava. La cambiale era certamente vera, ogni poco ce n'era una in procinto di andare in protesto ed ogni volta rappresentava un dramma; ma il dramma, per me, non consisteva più in queste difficoltà a cui mi sentivo estraneo ormai, c'era invece la pena di quel padre che malgrado tutto, evadeva, giuocava, spendeva in fucili da caccia...

Aspettando

L'occhio elabora le cose che vede; è la porta attraverso la quale entrano i segni determinanti il nostro essere. C'è chi su innumerevoli cose ne vede una sola, mentre altri in una cosa sola ne vedono molte. A vivida attenzione l'occhio concede maggiore informazione, ma spesso anche maggior numero di ambasce. L'occhio può sorprendere segreti folgoranti, segnali, messaggi sui quali a volte s'indirizza una intera esistenza: guardare è almeno metà del vivere. Si può anche perdere la propria capacità di vedere, puntando al vuoto, ma anche da lì è possibile rintracciare il punto di ritorno; tornare alla realtà dopo un astratto viaggio, sensibilizzati all'aspetto mutabile di ogni cosa, consapevoli del relativo. Dalla mia infanzia affannata e prigioniera, che per la maggior parte avevo vissuto come un martirio, da quell'età per la quale si spendono tanti elogi di miele, da quell'infanzia alla quale sono dedicate tante ipocrite nostalgie sulla innocenza, l'occhio spalancato era stato il primo a percepire, era stata l'unica via di comunicazione appena s'era annunciato il barlume dell'uscita del tunnel. L'occhio soltanto m'aveva aiutato a percepire il crudele inganno degli inni all'innocenza infantile; l'occhio m'aveva anche guidato ad attraversare la palude dell'adolescenza, dove addirittura aleggia un soffio di morte, arginato con malevola violenza dal vitalismo del corpo alla ricerca dell'amore, della vita appagata.

Poi viene il momento in cui può essere possibile dare un nome alle cose, la menzogna dell'adolescenza può essere lasciata alle spalle, le cose che l'occhio registra possono anche cominciare a costruire la struttura dall'alto della quale può anche darsi che lo stare al mondo smetta d'essere tutto dolore.

Ero nato nell'orrida oscurità d'un labirinto; avevo percorso un intricato tunnel sperando che quel buio non fosse cecità, sussultando quando, lontana, cominciò ad apparire l'uscita come una piccola stella, un pianeta lontano. Avevo percorso intero il mio labirinto ed ora le mie prime esperienze coincidevano con le prove letterarie che avevano aperto un varco, avevano annullato la solitudine che era apparsa come un retaggio inalienabile; perfino l'esistenza quotidiana che attorno a me persisteva immutata, con le sue angosce e intemperanze che un tempo erano quasi riuscite a distruggermi, ora potevo accettarle e soffrirle come si svolgessero attorno a me, mai più dentro a me a sconquassare.

La mia città m'aveva fornito le immagini che avevano avuto la forza di passare dall'occhio alla mente come messaggi rigeneratori, richiami ai quali avevo sentito il dovere e la necessità di rispondere. Lucca aveva comunicato al mio sguardo i segnali necessari a vincere l'informe groviglio in cui ero stato avvoltolato. Ora, che per tante inspiegabili coincidenze, avevo potuto decifrare i messaggi dei marmi, degli archi e delle colonne, dei segni del tempo che l'occhio aveva via via scoperto sul volto della mia città; ora Lucca m'aveva dato anche tanti amici, mi aveva fatto capire che anch'io potevo vivere accanto agli altri; inoltre m'aveva dato un'amante e poi perfino una fidanzata. In tante altre città esistevano persone alle quali potevo confidare ogni mio sussulto per la poesia; c'era perfino chi veniva da lontano per conoscermi, sapendo quanto era difficoltoso che lo potessi fare io.

«Chi sono, che cosa vogliono» domandava diffidente mio padre.

«Sono amici miei.»

«Ma in bottega bisogna stare.» Però, quel poco di soldi che sempre più spesso riusciva a sottrarmi per la solita cambiale in mano all'ufficiale giudiziario, costringendomi alla rinuncia di alcune delle mie sempre più frequenti evasioni alle Giubbe Rosse, consigliava anche al genitore una certa moderazione nelle proteste per le mie defezioni.

«Chi sono, perché vengono a prenderti?»

«Sono poeti, artisti. Loro mi conoscono bene, mi aiutano.»

Quando arrivavano dei coetanei, magari un po' malmessi, la cosa non suscitava alcuna diffidenza; quando invece arrivava Montale con qualche amico e la Mosca, su una grande automobile nera, il loro aspetto di signori lo insospettiva: «Chi sono?». Non davo spiegazioni; spesso con loro c'erano Adriano Olivetti e Bobi Bazlen.

«Lo riportiamo stasera» dicevano a mio padre intimidito. Si andava a Bagni di Lucca, si desinava in un locale di tipo anglosassone. La Mosca chiamava Montale Eusebio, e noi la imitavamo. Olivetti aveva sempre un'aria contenta, quasi fanciullesca, che poi, in tant'altre occasioni, non ho più ritrovato in lui. Bobi, con la sua proverbiale acutezza, con le sue infinite conoscenze del mondo mitteleuropeo, apriva squarci su situazioni culturali allora poco accessibili in Italia; era stipendiato da Olivetti quale consigliere e astrologo personale; le argomentazioni e le analisi che Bobi architettava con la sua intelligente loquacità mi sbalordivano un poco: era la prima volta che sentivo parlare in nome degli astri, ed era stupefacente che un grande industriale dimostrasse tanta sollecitudine nell'adeguare le proprie decisioni a suggerimenti tanto misteriosi.

«Adriano in questo momento non fa nulla senza consultare Bobi» mi diceva la Mosca. Mi pareva però che, ascoltando con una certa attenzione, si potesse capire che i suggerimenti di Bobi avrebbero potuto funzionare: sotto la loro patina immaginifica, al di là dell'entusiasmo che lui dimostrava con scoppi di ilarità infantile, di irrazionale pareva che avessero poco. Più d'una volta ebbi l'impressione che Bobi non credesse molto a quegli incantamenti, e che, sotto di essi, in trasparenza, si potesse scorgere, non l'astrologo, ma il consigliere avveduto. Olivetti, tuttavia, ascoltava con grande interesse: letteratura e scienza, misteri astrali, consulenza commerciale pareva comunque che seguissero, in quel libero giuoco, un filo logico, poco misterioso.

«Ma che vogliono» mi domandava il genitore quando mi riportavano a Lucca. «Sono ricchi? Che vengono a fare a perdere tempo con te.» Io non spiegavo che di veramente ricchi ce n'erano due soli.

«Che avete mangiato?» Non lo ricordavo mai.

«Come fai a non ricordarlo. Non ci si capisce nulla con te.» Per me, ognuno di quei viaggi a Bagni di Lucca rappresentava un altro recupero di luce che mi veniva a risarcimento del lungo buio in cui ero stato immerso. Erano anni di attesa; nulla al di fuori dei miei soggiorni alle Giubbe Rosse, delle mie giornate a Bagni di Lucca con Montale, delle mie visite estive a Forte dei Marmi, poteva alimentare speranze d'un cambiamento; eppure aspettavo con una certa fiducia, non smaniavo più. Guardando indietro, il lungo oscuro ed incerto cammino, ora mi pareva che nulla di quanto mi feriva in passato potesse veramente nuocermi. Avevo finalmente imparato che cosa rappresenta veramente il passato: non la nostalgia di ciò che non si avrà più, ma il bagaglio di esperienze che ci rendono più capaci di costruire il futuro, più invulnerabili all'imprevisto.

Or non è molto, sul catalogo di una libreria antiquaria di Genova, ho trovato il titolo del mio primo libretto di poesie, stampato nel 1935 al prezzo di cinque lire; l'ho comprato a diecimila lire, forse l'equivalente del prezzo di partenza. Era uno dei primi volumi di una pregevole collana che Guanda cominciò a stampare a Modena. In quelle poche pagine c'è il mio passato di allora. Rileggendo, vedo che dietro a quelle righe stampate che ispirano ingenua schiettezza giovanile, c'è tutta la mortificazione d'una vita che s'è appena salvata dal naufragio, ed ora cerca di disegnarsi un futuro. La mia adolescenza, un po' ritardata, m'aveva indotto a vivere le eterne banali domande come se fossero un privilegio mio, una maledizione per me soltanto. «A che cosa serve il mondo, — a che cosa serve nascere, — terra, — cielo — alberi — luce del giorno — tenebre della notte, il sangue, il miele, che cosa sono? meglio sarebbe non esserci, non essere nati — non avere visto, non sapere.» Questo avevo sofferto illimitatamente credendolo prerogativa unica e mia; questo, i miei giovani versi esorcizzavano trasformando la natura, il cielo, la nascita, la vita, in approdi, rifugi, chimere, aprendomi gli occhi, placando i mostri dell'inconscio, trasformando l'interna guerra in pace, il dolore in contemplazione.

Ma la realtà dalla quale mi ero in qualche modo dissociato non mi dava tregua; un altro disastro repentino si abbatté sulla famiglia; il negozio divenne una processione di gente che protestava, che voleva spiegazioni.

«Le ultime cambiali sono tornate indietro, sono andate tutte in protesto» dicevano i più. «Ma si può parlare con lui? dove si trova?» Nessuno lo sapeva, nemmeno noi; aveva lasciato me e mio fratello ad affrontare gli irritati creditori senza dire dove andava. Noi non sapevamo che cosa rispondere; restavamo un po' spauriti e pieni di vergogna, finché dopo un giorno o due non arrivarono gli ufficiali giudiziari i quali, spandendo un delizioso odore di ceralacca, misero i sigilli alla saracinesca che ci avevano fatto abbassare.

Appena dichiarato il fallimento, mio padre, ormai al riparo da incontri diretti, tornò, chi sa da dove, fresco e riposato, pronto ad affrontare le difficoltà, a rimediare, per la verità non senza abilità; capace di correre ai ripari con tenacia, almeno fino a quando la tensione dell'emergenza non si fosse allentata.

Malgrado avessi cercato con tutte le forze di trincerarmi dietro l'invulnerabilità che pretendevo di avere assunta, l'aggressione delle vicende familiari in quel momento fu assai forte: non ne uscii molto bene. Se ne accorsero gli amici, se ne accorse l'amico pittore Domenico Lazzareschi, che mi volle nella villa di Forte dei Marmi dove trascorreva la luna di miele con Lucia, la cui fiorentinità raffinata aveva su di me un certo ascendente. Trascorsi un mese felice, di letture, di serate interamente impiegate a parlare di pittura. La famiglia ed i suoi problemi si erano allontanati d'un colpo.

Dopo l'angoscioso momento passato al profumo quasi inebriante della ceralacca dell'ufficiale giudiziario, alcuni tra i più giovani addetti ai commerci di via Santa Lucia, con molta discrezione, perché s'erano accorti del mio particolare turbamento, ed anche perché in quella strada un avvenimento di quel genere era considerato una tragedia sconvolgente, mi avvicinarono:

«Non ci badare, loro son vecchi». Cercavano di consolarmi dei commenti che gli altri commercianti, loro genitori, non risparmiavano.

«Stasera stai con noi, andiamo a cena assieme, ti invitiamo noi.» Erano due giovani della nostra strada, uno figlio del macellaio, l'altro d'un commerciante di pannina. Mi condussero al ristorante che aveva un ingresso secondario dalla corte che si trovava dietro il mio negozio. Lo gestiva un giovane, emigrato da bambino in America, tornato nella città delle origini a prendere l'eredità e le redini dell'esercizio di uno zio; anche lui, partecipe, ci fece accomodare in cucina e non volle presentare il conto. In America, credo a New York, aveva fatto il cameriere ed ora, nei nostri confronti, aveva l'aria d'un uomo disinvolto e vissuto, spregiudicato e, certemente, sicuro che su di noi aveva qualche diritto a darsi delle arie. Si sedette al nostro tavolo, i preamboli furono pochi, poi cominciò a indottrinarci:

«Voi non avete girato il mondo, ma io sì; io so come sono fatte le donne e come si debbono trattare. Con la mia non ce la faccio più; l'ho convinta: o sparisce lei o sparisco io; ogni volta, dopo che si è fatto l'amore, ci si letica, ci si sbrana».

«Non potreste andare d'accordo?»

Scosse le spalle e fece un nome. «Bella» dicemmo. «Anche buona, brava, nell'ufficio del Comune.» Io la conoscevo solo di nome.

«È un guaio,» affermò il nostro ospite «perché con donne come quella ci si innamora.»

«Anzi! o non è meglio?»

«Anzi un corno. Se ti innamori sei fottuto.»

«A me piacerebbe» disse uno dei due.

«A voi piacerà, siete dei bambini, ma io, in America ho cominciato a lavorare a dodici anni e, a tredici, le donne venivano a letto con me.» L'immaginazione dei miei due amici, lo si capiva dal loro respiro che si accelerava un po', si faceva fervida.

«Ho fatto strada e ora ho il ristorante; ma se mi fossi fatto inguaiare da una sola, chi sa dove sarei ora.»

«Forse staresti meglio.»

«Meglio! legato a qualcuna, sempre con la stessa donna?» I due amici ammutolivano, forse ammirati.

«Anche questa la pensa come voi, vuole sposare; ci potrebbe anche riuscire; piuttosto ritorno in America; io non mi faccio accalappiare da nessuno. Allora mi ammazzo, m'ha detto lei. Fallo, le ho risposto, sarebbe la soluzione.

O sparisci te o sparisco io. L'ho convinta, credo. M'ha detto: lo farò; quando chiudi il ristorante passa sotto le mie finestre, se vedrai la luce accesa vuol dire che ti sei liberato di me. Già che ci siete, fermatevi un altro poco, ci passeremo assieme. »

Io ero rimasto in silenzio, contavo che il mio silenzio potesse essere attribuito alle mie peripezie della giornata; mi astenni dal fare il minimo commento, ma provavo disagio; ad un certo punto mi congedai. In verità, in quel momento, i miei guai m'erano usciti dalla mente, prendevo ciò che avevo ascoltato per una tragedia nella quale mi sentivo colpevolmente coinvolto. Non ne seppi più nulla, in via Santa Lucia ci tornai più d'un mese dopo; ma ripensandoci poi, non feci fatica a considerare che le spavalde dichiarazioni dell'amico oste, ascoltate tra i profumi delle sue pentole e dei suoi tegami, non potevano essere che innocenti vanterie d'uno sprovvisto dongiovanni che sa come ci si può vantare, in un angolo di provincia, dinnanzi a giovani teneri amici facilmente affascinabili da quelle mediocri improvvisazioni. Non seppi più nulla; due giorni dopo partivo per Forte dei Marmi a raggiungere Domenico e Lucia.

Domenico era uno dei pittori, tra quelli che conoscevo a Lucca, più impegnato ad un linguaggio giovanile e spericolato; come Beppe era allievo di Carena, che ai miei occhi rappresentava, non senza ragione, una delle significative immagini di quella fiorentinità di cui mi sentivo figlio, a cui si affidava ogni mio pensiero consolatore. Trascorrevano la luna di miele in una villa di Forte dei Marmi, ma non per questo furono tanto distratti da non pensare che, offrirmi ospitalità sul mare, con loro, in una casa confortante, nel momento in cui ero assediato da tanto disordine e distratto da ogni pensiero alla pittura e alla poesia, per me sarebbe stato un modo per recuperare.

La sera stessa, abbandonati gli amici di via Santa Lucia alle loro farneticazioni sul dominio del maschio sulla donna, sui sogni proibiti che il più sperimentato dei tre suscitava in loro, arrivato a casa, trovai mia madre disperatamente sconvolta, mugolava; di dolore; né io né mio fratello, anche noi in quel momento abbandonati, sperduti, sapemmo come consolarla quel poco che sarebbe stato possibile, giacché, nei momenti di sconforto o di rabbia, essa usava del suo eterno silenzio per non ascoltare, per immergersi in un suo abisso di solitudine a chiunque altro impenetrabile.

Il giorno dopo il genitore tornò, si mise all'opera, ed io partii per il Forte.

Intermezzo breve

Quel provvidenziale mese, trascorso a Forte dei Marmi, m'aveva rinnovato: non soltanto perché non avevo mai trascorso tanto tempo tutto assieme con amici intellettuali, senza altro pensiero che vivere pensando al proprio lavoro, come se quello solo bastasse all'esistenza; ma anche perché certo mal di stomaco che mi tormentava era sparito; al pallore che preoccupava qualche amico s'era sostituita una bella abbronzatura marina; le mie guance avevano perduto l'infossatura che rendeva un po' patita la mia immagine.

Quando mio padre venne a prendermi: «È ora di tornare, si riapre, bisogna lavorare molto, ci dobbiamo rimettere in piedi», affrontai la bottega, il lavoro, l'atmosfera familiare colma di tensioni, non più come se fosse un'intrusione nei miei intenti, ma come se, in qualche modo, io fossi l'intruso. Le esperienze che si erano assommate al mio lavoro letterario, specialmente gli incontri fiorentini che mi avevano liberato dei complessi elaborati in seno alla famiglia, durante il mese trascorso con Domenico e Lucia si erano consolidate. Pregiudizio era ormai per me ognuno di quei timori; pregiudizio borghese, mi ripetevo, trovando nella frase un conforto particolare. Immune, o quasi, dall'aggressione del mondo interno alla mia vita quotidiana, ora, se non avevo la minima idea di come si sarebbe potuto risolvere il mio avvenire, andavo avanti con una certa sicurezza, prendendo accordi per pubblicare le poesie con Guanda, a Modena; preparavo il libretto di prose che avrebbe pubblicato Parenti di Firenze. Lavoravo con fiducia, e strappare tante ore al sonno non mi pareva più un grande sacrificio.

I legami che ci vengono imposti fin dalla nascita sono fardelli crudeli, perché appartengono agli altri, a chi ci accoglie. Le ragioni del sangue sono leggi oppressive, stabilite dagli altri in nome della natura, o di codici pseudo religiosi che fanno dei padri degli incontrastati padroni. In verità, gli unici legami legittimi sono quelli scelti, le amicizie, gli amori, si formano soltanto attraverso i propri sentimenti, perciò sono valori spirituali, corrispondono ad uno stato di libertà. L'infanzia è stata trasformata in una malattia, una infermità, per colpa di quel celestiale sdilinquimento, dietro al quale si celano ed operano tutte le convenzioni che giustificano il plagio del neonato. Così il bambino è un handicappato che non sa camminare, non sa parlare, non sa mangiare; te ne senti il padrone non soltanto perché senza di te non vivrebbe, ma soprattutto perché credi che non sappia pensare. In realtà, i suoi veri desideri, perché ne ha addirittura prima di nascere, vengono seppelliti nella melassa delle tue estasi per la sua innocenza. Chi lo governa non sa che dovrebbe soltanto alleviare le sue incapacità materiali per mantenersi in vita, sollevandolo un poco dai tanti disagi che soffre, compreso quello di essere nato. Basterebbe un po' di sincerità verso se stessi, un ritorno ad un certo tipo di dignità umana quasi scomparso dalla terra, per comprendere che queste estasi per la presunta innocenza, questa tutela del paradiso incontaminato dell'infanzia, non sono l'affetto; sono l'alibi, la giustificazione, il muro dietro al quale nascondiamo ai nostri occhi tutto ciò che di noi non vogliamo sapere, tutte le inettitudini, le disonestà, o almeno le ipocrisie di cui siamo schiavi. L'adorazione del bambino rende ciechi di tutto il suo sentire, del suo pensiero, ma ci esorcizza dal presente; sarebbe invece utile e bello disporre di tutto il nostro passato, con le intere magagne che contiene, con le colpe, mondato d'ogni inutile mito, privo della tanto comoda nebbia sentimentale, affinché cada ogni roseo semplicismo, ed il futuro ci appaia reale, tale da permetterci di farci in disparte di fronte al futuro di colui che entra nel mondo; perché quel futuro non ci appartiene, deve essere quello che l'essenza della nuova creatura predisporrà, privo delle ipocrisie e degli errori nostri, affinché non si assommino agli eventuali errori che appesantiranno quasi sicuramente anche la sua vita. L'adolescenza è la convalescenza; le sue incertezze, i suoi slanci e le sue ricadute creeranno più aspri conflitti, quanto più aspramente l'infanzia servì da alibi a coloro che ne ebbero cura.

Durante l'adolescenza vi sono momenti di resistenza, desideri di regressione, perché l'handicappato ormai non desidera guarire, ha paura di crescere, giacché si accorge che, dopo, nessuno potrà aiutarlo e dovrà divenire del tutto responsabile di sé.

Mi pareva dunque certo che i legami che ci troviamo in regalo dal destino, che i cosiddetti diritti naturali impongono, che le religioni affermano come il dovere, la salvezza, la carità verso chi ti ha messo al mondo, sono la maledizione; mentre i legami che ti scegli sono quelli in cui troverai il conforto, la mano tesa, l'amore. La peste del mondo sono le vestali e i chierici che ti hanno assistito, perciò ad essi dovresti eterna obbedienza, assoluta devozione, il rispetto ed anche il sacrificio della tua esistenza. Meglio il nemico che ti scegli, il nemico che le tue vicende personali determinano, del torrente di affetto, del disarmante tormento che esige la tua dedizione ed il tuo sacrificio in nome del sangue, in nome delle viscere, in nome delle divine leggi che un vago cielo ha da millenni predisposto sulla tua testa. Del nemico che ti scegli sai perché ti è nemico. L'amico che ti scegli è l'altro che ha scelto te; l'amore che eleggi è lo specchio stesso nel quale ti puoi riconoscere.

«Vattene, vattene pure. Vai a patire la fame. Te ne pentirai, capirai che cosa vuol dire accorgersi che si perde, lasciando la famiglia, il pane assicurato. Sei cresciuto qui, ti abbiamo dato tutto ciò di cui avevi bisogno e ora te ne vai, ci lasci qui. Qui hai pane, lavoro, una famiglia. »

« Ma io ormai ho deciso. »

« Bella decisione, lasciare i genitori, la famiglia. Noi, certo, non ti tratteniamo. Si vede proprio che di noi non ti interessa nulla. Si vede che non ti ricordi di noi, i sacrifici... »

« Ma dovreste aver capito che io cerco di farmi una vita diversa da questa. »

« Finirà che al tuo posto dovremo prendere un garzone e pagarlo, dargli uno stipendio. Lo sai che ci son sempre difficoltà. Se la tua famiglia finirà male sarà anche colpa tua. Eppoi a che serve la poesia? si può mangiare con la poesia? » Altre voci in via Santa Lucia: « Dice che farà lo scrittore. Pensa un po', è un mestiere quello? Si vede che non gli importa nulla degli affari dei suoi. Ma chi non obbedisce ai propri genitori non combinerà mai nulla. Ha vinto un premio. Un premione pare, ne parlarono tutti i giornali, ma carmina non dant panem ». Anche in latino dovevo sentirmi rincorrere, nel brontolio che accompagnò la mia sofferta partenza.

Pochi mesi avanti, con Benedetti, in bicicletta, eravamo andati a Forte dei Marmi a incontrare Curzio Malaparte, a cui era stato trasformato il confino all'isola Lipari con quello in una bella villa al Forte. Facemmo una passeggiata con lui, scortati da due carabinieri che ci seguivano pacificamente: Malaparte era un buon lettore e ci conosceva; non mi pare che noi ci domandassimo perché era relegato e scortato, ma mi par di capire che, sia pure quasi inconsapevolmente, ci poteva parere assai normale che uno scrittore fosse in contrasto col potere.

Diverso tempo dopo, tornato in libertà, mi aveva scritto da Roma affinché lo raggiungessi per badare alla redazione di *Prospettive*; avevamo fissato la data del mio arrivo e lui mi aspettava.

Roma via Firenze

La valigetta era pronta, la stessa, con le medesime cose che vi stavano ogni volta che partivo per le mie giornate fiorentine.

«Quest'altro giovedì parto, vado a stare a Roma.»

«Lo sappiamo, l'hai già detto dieci volte.»

«Ma io ormai...»

«Se lo dici tu.»

«Ma non posso mica rimanere qui per sempre.»

«Perché, ci stai male?»

Ora cominciavano a crederci e rispondevano risentiti. Risparmiavo su tutto, in quei giorni, ma alla vigilia della partenza i soldi per il treno fino a Roma non li avevo potuti accumulare. Avevo poco più delle poche lire che occorrevano per arrivare fino a Firenze. Sarei andato a piedi, ma non avrei mai ammesso le mie difficoltà davanti ai miei che aspettavano in silenzio, spiando le mie mosse, né mai mi sarei sognato di chiedere il loro aiuto. Decisi di andare fino a Firenze per un prestito. Era la prima volta in vita mia che facevo un debito, pur deciso che quella era l'unica maniera per arrivare a Roma; ne provavo terrore, mi pareva che non ne avrei avuto la forza; eppure dovevo superare l'ostacolo, dimostrare a me stesso che ora la mia esistenza dipendeva solo da me, dal coraggio con cui avrei superato gli ostacoli. Fuggivo, non più come avevo sempre immaginato; credevo finalmente di cancellare tutto ciò che mi lasciavo alle spalle, ignaro che proprio ciò con cui volevo tagliare i ponti, proprio questa volta, in gran parte mi seguiva. Lasciando Lucca ebbi l'impressione di abbandonare la madre, la maestra, l'amore. Ora, San Michele, le sculture di San Martino, Ilaria, le Mura, l'ombra di alcune piccole strade, il verde appartato di qualche prato, mi seguivano; erano ciò che fino a quel momento mi aveva alimentato e aveva protetto la mia fragilità. Queste immagini avevano vegliato su di me, sostituendosi alla realtà quando diveniva troppo crudele. Eppoi mi allontanavo da Firenze, la mia Firenze, la madre adottiva, quella scelta, quella che mi ero attribuita.

Affrontai col coraggio della disperazione Sandro Bonsanti: fu facilissimo, fu talmente facile che ancor oggi ho il dubbio di non aver dimostrato quella riconoscenza che si deve ai salvatori. Bonsanti non mi lasciò nemmeno finire di esporre il mio problema, che del resto conosceva bene, che già aveva estratto cento lire dal portafoglio. Le cento lire della mia indipendenza ebbero il potere di dissipare tutti i miei timori e dubbi; andai alla stazione, e, con un gesto incongruo di cui non seppi spiegare la ragione, per la prima volta in vita mia, comprai un biglietto di prima classe.

Mi lasciavo alle spalle anche Firenze, seduto sul velluto rosso. Su quel velluto rosso però non mi addormentai nemmeno per un attimo, cominciai a provare un certo senso d'insicurezza; sapevo che avrei trovato subito anche a Roma un mondo che ormai non mi era ignoto; ma sapevo altrettanto bene che la lezione sottile, spesso silenziosa, delle Giubbe Rosse, la lezione schiva da ogni acrobazia politica e d'ogni equilibrio col potere, da Aragno, al Greco, l'avrei cercata invano. Dove mai avrei potuto ritrovare le giornate fiorentine? le feste nello studio dei pittori, che duravano fino al mattino? specialmente in primavera quando sulle rive dell'Arno si incontrava buona parte dell'intelligenza europea; quante avventure, quante amicizie m'eran servite a crescere, a normalizzare, spegnere la trepidezza e la melanconia, le vergogne che mi opprimevano? Dove avrei ritrovato i segnali che, a Firenze, mi raggiungevano dalla lontana Trieste di Saba e di Svevo, di Joyce, di tanti altri che ci facevano immaginare affinità fiorentine? Dove, i segnali di tanti consensi quasi impalpabili, che pur sapevano sottintendere il rifiuto nei confronti di un dominio che, a Roma, avrei comunque trovato vicino, incombente ogni momento?

Con la testa appoggiata sul velluto rosso del vagone di prima classe non dormii; ogni pensiero pareva un addio non privo di disperazione. Entrai nel sole di Roma, intorpidito, ma ormai quasi certo che sarei stato padrone di me stesso, che in qualche modo stavo iniziando la vita scelta da me.

Una lezione in più

Il distacco tuttavia, ora che avveniva, non conteneva più soltanto la gioia di realizzare il desiderio che aveva dominato l'ultimo decennio della mia esistenza; non provocava soltanto le poche perplessità sul mio futuro, che sapevo ben immaginare; provocava anche la pena di lasciare il luogo nel quale mi sapevo leggere, di lasciare amici e situazioni che avevano attenuato la lunga attesa di quella che chiamavo la mia liberazione. Sapevo che le radici restavano piantate lì, senza alternative, circoscritte entro quei quattro chilometri di Mura, mentre i segni delle immagini di cui m'ero nutrito entro quel perimetro, sarebbero sempre rimasti la matrice, il richiamo unico al quale avrei sempre risposto.

Pensavo in primo luogo agli amici ai quali non dovevo soltanto l'amicizia e, addirittura, in qualche momento, la protezione; ma anche tanti suggerimenti che, per me, avevano rappresentato spesso altrettanti punti di fuga per esplorazioni ampie ed inaspettate. Beppe Ardinghi s'era sposato con Mary Di Vecchio, una pittrice le cui esperienze moderne e colte m'avevano aiutato. Lasciando Gaetano Scapecchi, sapevo di allontanarmi da un uomo le cui generose intuizioni d'arte e di vita, nella loro spontaneità e vitalità popolare, difficilmente avrei ritrovato altrove. C'era poi Pea, col quale m'ero abituato a passare alcune ore al giorno al caffè: allontanarmi dalla sua esperienza e la sua acuta arguzia non era cosa da poco. Infine restava, a Lucca, il più recente amico di allora, al quale dovevo l'apertura di orizzonti particolari: quando Romeo Giovannini era entrato nel mio negozio, aveva depositato sul banco alcune poesie eppoi era scappato; non sapevo che in esse e nel loro autore avrei trovato l'apertura a quell'universo della lirica greca e del mondo classico a cui ero rimasto estraneo, salvo alcuni spunti leopardiani che evidentemente avevo troppo trascurato. Quando finalmente Romeo si fece vivo di nuovo, spiegandogli che le sue poesie mi avevano intrigato per una dolcezza diversa dal solito e sapiente, mi disse subito «È la lirica greca». Aveva studiato in seminario, era sulla soglia dei voti, stava però abbandonando tutto e per anni, quasi senza accorgersene, mi guidò alla conoscenza e alla magia del mondo antico. Rimaneva nella nostra terra d'origine anche Mario Tobino, che era grande amico: conoscendo le mie difficoltà, un giorno mi mandò il denaro ricevuto come compenso per la sua prima visita.

Mi aspettavano comunque esperienze d'amicizie diverse, tra esse alcune determinanti. Anche se dovetti rifiutarne fin dal primo momento lo stile, lontano dalla possibilità ch'io mi inserissi in quella nuova società, non posso certo dire che furono esperienze indifferenti. Sapere d'un modo di intendere la convivenza, che permetteva di scavalcare allegramente convenienze e moralismi correnti senza troppo preoccuparsi delle ragioni altrui, indubbiamente mi servì a muovermi meglio tra la gente, a correggere quella discrezione che era profonda timidezza, quella timidezza che tuttavia, in una certa misura, ha continuato a proteggermi. A Roma m'aspettava infatti Curzio Malaparte, un maestro del vivere disinvolto, che però custodiva una zona del suo complesso temperamento, di tutt'altra natura, che lo rendeva estremamente generoso e attento di fronte ai colleghi, di fronte ai problemi intellettuali; con le persone che stimava non c'erano sotterfugi o titubanze: era in nome di questa solidarietà che aveva scelto me per la redazione di *Prospettive*.

Lo stipendio era generoso; Orfeo Tamburi curava la grafica dei fascicoli. *Prospettive* si muoveva con un margine di libertà che Malaparte, nel difficile e rozzo ginepraio delle imposizioni di regime sapeva imporre, non senza esporsi personalmente.

Durante la repressione razzista fu l'unico che pubblicò scritti di Moravia. Questo era il tipo di generosità di Malaparte: nel resto del mondo navigava spregiudicato, non di rado sprezzante, seducente nei confronti anche di coloro che lo attaccavano. Non so se chiamarla intelligenza di vita, certo, in sé dimostrava l'intelligenza versatile dello scrittore che doveva dare il meglio di sé dopo la fine del fascismo. I primi anni della guerra li passammo molto uniti; nei momenti duri io e Tamburi contavamo assai su di lui, e tanti furono i momenti in cui ci aiutò a sormontare giornate difficili. Vi furono una quindicina di giorni durante i quali rimanemmo senza fondi per la rivista e senza una lira per noi, anche in quell'occasione Malaparte provvedeva a modo suo; telefonava ad uno dei tanti amici che aveva negli ambienti più diversi, lo invitava a cena, lo avvertiva che noi s'era in tre; s'andava da Nino a via Rasella e tutto si svolgeva normalmente fino all'ora del conto, che rimaneva ignorato in mezzo alla tavola finché l'ospite, o intimidito, o intuendo la situazione, pagava e buonanotte. Ma la serie finì col direttore generale delle ferrovie; arrivato il conto, non si sognò di fare un gesto finché, dopo un lungo momento di imbarazzo, gli fu chiesto di pagare. «Neanche per sogno» disse e, lo si vedeva, si divertiva un mondo, «io sono stato invitato.» Nino, che ci conosceva, avrebbe aspettato fino al giorno dopo: il nostro ospite ci offrì una grande cena la sera seguente, ma ormai il circuito s'era spezzato.

«C'è il portasigarette d'oro, pesa un etto, è un regalo di una signora di Torino» ci annunciò Malaparte, non senza qualche riluttanza. Al mattino lo portammo al Monte di Pietà, rifiutammo una somma ragguardevole perché ormai stavano per arrivare denari freschi per la rivista. Pochi giorni dopo Malaparte partì per la

Polonia come inviato di guerra, del portasigarette nessuno si ricordò, andò perduto per una somma irrisoria.

Uno stile di vita inafferrabile, per me conteneva nuove esperienze, ma nulla che avrei potuto in qualche modo acquisire; forse proponeva altri segnali per crescere ancora, per capire di più quanto la gamma del vivere fosse più vasta di quella che mi portavo dietro dalla dolce e sofferta vita lucchese, dalla pacata esistenza intellettuale degli amici fiorentini.

Roma non somigliava a nulla di quanto già conoscevo e potevo vivere; per diversi anni, perfino dalla sua bellezza molteplice, carica di messaggi, non recepii segnali rilevanti. Era come se la preoccupazione di essere immersi in un mondo che richiedeva attenzione ai propri gesti, assorbisse tutte le mie energie; in effetti l'atmosfera della dittatura, nella capitale più che altrove, la volgarità delle idee, dei fasti, a cui si sarebbe dovuto porgere tutta l'attenzione, annebbiavano la mente, annebbiavano l'atmosfera, i rapporti con gli altri. Doveva perciò trascorrere un po' di tempo prima che la mia fedeltà ad un ideale di poesia, chiamiamolo così, che in quella città era rimasto quasi del tutto celato, potesse non solo riprendere il sopravvento, ma divenire tramite della mutazione fondamentale per la quale, tra vita e poesia, non c'era poi quel divorzio che stavo vivendo; anche la poesia ha a che fare con la realtà, e se la realtà in cui si vive contrasta con le ragioni della creatività, gli insegnamenti della cultura, dell'arte, vuol dire che occorre interessarsi a quella realtà; ignorarla è defezione ad un dovere. Desiderare che essa muti, che divenga compatibile con la libertà d'esprimersi, con le intuizioni che fanno crescere i valori spirituali, ogni giorno perfezionava le idee che avrebbero provocato il rifiuto consapevole di tutto ciò che ci sovrastava.

Capitolo svelto e corto per
un periodo interminabile

La vita che conducevo a Roma sembrava dover essere simile a quella di tanti altri che ormai conoscevo assai bene ed ai quali l'avevo per tanto tempo invidiata. Orari irregolari, lunghi digiuni, cene festose, qualche viaggio come una fuga, lavoretti mal pagati, notti vagabonde.

Fu press'a poco così; ma, in principio, lo stipendio che Malaparte aveva predisposto per me, mi mise in condizione privilegiata nei confronti di tanti amici coetanei, specialmente dei pittori: scialavo.

Mentre a Firenze tutto ciò che mi avveniva rispondeva ad una logica, seguiva un tracciato che potevo conoscere in anticipo, a Roma la vita si evolveva secondo leggi che mi era difficile comprendere, a cominciare dalla prima notte che vi passai. Avevo preso alloggio in un alberghetto di via del Gambero, dove fui installato in una specie di stanzino ricavato in alto, vicino ai cassoni dell'acqua. La pioggia, sopra il tetto fatto di lamiera ondulata, risuonava come una canna di organo, con rotonde modulazioni, brevi e monotone, che non mi risultavano affatto sgradevoli; anzi, vi recepivo come una voce accattivante colma di indefinibili richiami. Quella prima sera mi addormentai immediatamente, il viaggio era stato stancante per l'attesa: andavo incontro alla vita indipendente per cui avevo tanto smaniato e sofferto; a qualche timore tuttavia non sfuggivo.

Alcuni tonfi infernali mi svegliarono; non sapevo che cosa stesse succedendo, non mi resi conto subito di dove mi trovavo; qualcuno prendeva a calci la porta, qualcuno urlava: «Apri. Polizia. Polizia». Dovevano essere irritati perché avevano dovuto far baccano per svegliarmi. Imparai, fin dalla prima sera romana, una delle leggi fondamentali della città: non potei così più meravigliarmi se, nei mesi e negli anni seguenti, a periodi imprevedibili, per la strada, di giorno e di notte, e qualche volta in casa irrompevano con malagrazia, qualche volta con molta grazia e, come si dice, tatto, giovani meridionali senza divisa, ma capaci di farsi riconoscere come se lo portassero scritto in fronte, che erano incaricati di controllare, di sapere, di esigere; per lo più a contatto diretto risultavano bravi ragazzi, ma il potere assoluto di cui potevano disporre, ne faceva comunque dei pericolosi despoti. Riusciva tuttavia difficile giudicare, i costumi erano questi, non se ne conoscevano altri: forse altri ne intuivo sordamente, per rancore a quanto risultava sopruso, violenza. Quella prima sera fu dunque emblematica; era come un mondo nuovo in cui entravo, scoprendo subito che rispondeva a leggi più rozze di quelle che conoscevo e immaginavo.

L'insegnamento della mia Firenze, la Firenze delle Giubbe Rosse, non era stata educazione politica, ma predisposizione a un certo tipo di civiltà culturale e umana che, al momento opportuno, doveva trasformarsi nei giusti modi di procedere anche politicamente. Dire che l'educazione intellettuale fiorentina predisponeva all'antifascismo potrebbe sembrare eccessivo, mentre invece, per noi di una certa generazione, era soltanto quel tipo di intellettualità, quel tipo di raffinata apparente estraneità alla vita, che conteneva quasi l'unica via d'accesso, via segreta per il rifiuto di tanta ignoranza, di tanto cattivo gusto, dietro a cui si nascondevano, infine, ferocia e indifferenza per i diritti d'ognuno.

Il mondo nuovo in cui ormai mi stavo inserendo non indugiò molto a manifestarsi anche in altre forme; la più evidente arrivò con uno scarno biglietto: «Colloquio col Ministro dell'Educazione Nazionale», seguiva l'ora e la data. Naturalmente andai, non senza le titubanze provocate dalla timidezza del ragazzo provinciale, dalla sconcertante constatazione che un ministro in persona mi convocava nel suo regno.

Il giorno giusto, all'ora giusta, salii lo scalone col mio vestitino un po' liso, ma con la migliore e più nuova delle camicie. Mi si fece davanti un omone con qualche filo d'oro sul berretto e sui polsi della giacca: «E voi che volete?» mi chiese con troppa familiarità. «Debbo vedere il ministro.» Controllò, il mio nome era in nota: «Toh, è proprio vero». Il ministro era Giuseppe Bottai; fu un colloquio amichevole e civilissimo, turbato soltanto dal fatto che lui mi dava del voi, ed io, da buon toscano, non sapevo, non potevo, non riuscivo; risposi sempre col lei; non mi parve però che Bottai si formalizzasse.

«Ho saputo che vi siete stabilito a Roma ed ho voluto conoscervi. Seguiamo con grande interesse la carriera dei giovani che si distinguono.»

«Grazie, sono proprio contento di sapere che lei mi conosce.» Forse balbettavo un poco.

«Volevo conoscervi e dirvi che se ce ne sarà la necessità e l'occasione, sarò contento di esservi utile.»

«Grazie, molte grazie, grazie...»

«So che ora state nella rivista di Malaparte, perciò non c'è bisogno di alcun intervento.»

«Grazie.»

Se dovessi dire perché, quando mi trovai alle estreme necessità, non mi rivolsi al pur gentile Bottai, forse non saprei dirlo; sarebbe facile ora dire ostilità, antifascismo; ma in verità non sapevo ancora bene di che cosa si trattasse. Bottai si dimostrava amico degli intellettuali e già da allora ne aiutava molti ben più evoluti politicamente di quanto non fossi e non potessi essere fino ad allora.

In me, per quello che ho potuto comprendere dopo, c'era un profondo fastidio per la sicumera che veniva dagli uomini che detenevano il potere, un fastidio che proveniva dal cattivo gusto d'ogni espressione che scendeva sulle nostre teste dalle manifestazioni del regime, dal portamento quasi più che dal comportamento di coloro che potevano fare e disfare. Ciò che esprimevano non corrispondeva al tipo di poesia, di arte e di vita che per me sembrava l'ideale da acquisire anche coi duri e spensierati sacrifici quotidiani. Ne nasceva tra noi strafottenza, fastidio, satira e disprezzo; ma ancora molti di noi non sapevano bene che dietro a tutto ciò c'era qualche cosa che avremmo dovuto avversare anche a costo dello scontro; c'era l'inimicizia alla vita come noi la cercavamo, c'era il disprezzo per l'incultura, per l'oppressione e quant'altro ancora non ci era stato possibile mettere a fuoco.

Nella mia Firenze, apparentemente, non avevo trovato particolari accenti che potessero essere classificati consapevolezza e incitamento contro gli orrori della dittatura. Ma tutta quella insofferenza, tutto quel sarcasmo, soprattutto quell'affanno per conoscere e partecipare di altre culture, malgrado gli ostacoli che potevano sorgere quando, in certi momenti, da qualche parte ci si accorgeva che, invece di portare un contributo alla "maschia bellezza dell'arte italica", si rivolgeva la propria attenzione alle "degeneri manifestazioni culturali delle democrazie", erano senza equivoci suggerimenti di segno contrario.

Fosse quel che fosse, quel tipo di vita romana, randagia e insicura, fatta di giornate senza affanno, ma non sempre senza qualche angoscia, non pesava eccessivamente. Anche nei momenti in cui pareva insostenibile, non ci passava per la testa di metterci alla ricerca di facili soluzioni; il quadro che quel giorno avevano dipinto Guttuso o Mafai, la battuta che la sera ci portava Flaiano, il cappuccino che al momento opportuno ci offriva Arduini, o la cena che agli estremi si imponeva a qualche amico benestante, i versi che ci leggevamo, assieme a qualche pungente cattiveria, alimentavano la voglia di vivere, la possibilità di passare istantaneamente dal cattivo umore alla più sfrenata allegria. Personalmente non ricordavo mai che a Lucca, la mia Lucca, avrei potuto recuperare un luogo dove non mi sarebbe mancato un pasto con la tavola apparecchiata.

Della redazione del *Selvaggio* e de *L'Italiano* avevo la chiave, portavo qualche aiuto a Maccari, incidevo qualche linoleum. Divenni un competente della produzione del Vetro e della Ceramica lavorando anche alla redazione delle due rispettive riviste industriali che avevano sede a piazza del Gesù, nelle stesse stanze nelle quali, oggi, si aggirano gli intramontabili nipoti di De Gasperi.

La mia infanzia, attraverso odori, sapori, nomi ed affanni, la pena della guerra, era uscita dalla prima età impregnata di umori popolari, dei fermenti blandi ma costanti che la povera gente esprime anche col silenzio, quando ci si è trovati dentro il suo affannoso vivere quotidiano. La giovinezza s'era poi disorientata ai cori trionfali ed imperiali della guerra d'Africa, ed a quelli di cui non immaginavo ancora tutto il dolore, della guerra di Spagna. Erano tutte esperienze che, se pur avevano potuto creare una non troppo nebulosa ripugnanza per la guerra in sé, non avevano ancora imposto un momento di meditazione, tale da determinare quelle scelte che ormai un intellettuale, anche se cresciuto senza aiuto diretto alla coscienza del vero volto della vita civile e delle libertà, avrebbe dovuto intuire. C'era, in questo senso, un ritardo che, tra non molto, avrei dovuto sentire come una colpa, come un errore da riparare, anche se personalmente non avevo proprio nulla da rimproverarmi.

Intanto, un'altra guerra. La prima sera che gli aerei alleati sorvolarono Roma, uscii all'aperto, sul terrazzino della mia camera d'affitto, a Palazzo Marignoli, lo stesso dove si trovava Aragno. La contraerea impazzita sparava verso il cielo forse sperando di colpire qualche stella; sentii fischiare ogni tanto qualche cosa attorno; lo spettacolo, le migliaia di scie luminose che aggredivano il nulla, aveva un certo fascino. Il giorno dopo, un gran numero di romani che avevano avuto la mia stessa curiosità, giacevano negli ospedali cittadini colpiti dalle schegge, nessuna delle quali aveva raggiunto i temerari che avevano osato solcare il cielo della città eterna.

Però la guerra fu l'ondata di piena nella quale tutti fummo trascinati a valle. Rotolammo tutti come relitti d'un'alluvione: chi poteva si rialzava per tornare alle proprie faccende; ma nessuno tornava senza un bagaglio di riflessioni inevitabili e certamente necessarie.

Eppure, press'a poco, proprio allora, avevo l'impressione di aver raggiunto l'esistenza che desideravo, con le persone giuste; ma la crescita veloce, a grandi salti che da Lucca m'aveva portato alla mia Firenze, poi a Roma, pareva essersi trasformata in una pigra attesa; alle Giubbe Rosse capivo sempre e bene che cosa volevo, dove andavo; qui, anche se ogni sera mi recavo da Aragno per ascoltare le crudeli sentenze di Cardarelli, le inutili spiritose invenzioni di qualche giornalista verboso, i silenzi sulla guerra, nulla m'indicava che lì potevo in qualche modo cogliere un solo suggerimento che mi segnalasse un futuro da scegliere.

La mia indipendenza pareva essersi tramutata in un momento vuoto e silenzioso; ciò che vedevo attorno era verniciato di strafottenza o di diffidenza, qualche volta di paura. Comunque, lo smunto ragazzo lucchese, nutrito regolarmente dalla famiglia, non di rado, quando era stato possibile, secondo gli eccessivi criteri di cibo e di vini della ingorda Toscana, ora che rinunciava a pasti regolari, che spesso andava a letto con un povero cappuccino nello stomaco, s'era irrobustito, aveva cambiato colorito; le angosce, le dilanianti disperazioni che avevano rabbuiato il suo passato, se n'erano tutte andate; ma con esse anche una buona parte di quella specie di slancio pazzo, quella voglia di buttarsi nel fuoco che occupava allora gran parte delle sue giornate.

Sembrava che l'ardore degli anni difficili si fosse spento; invece era un'attesa, era smarrimento che nulla, dell'ambiente romano che più frequentavo, riusciva ad attenuare: era come se rivedessi le cose con un occhio solo.

Un luogo per vivere, un'isola

Indubbiamente aspettavo un momento nuovo; ma che cosa voleva dire? La guerra aveva appiattito la vita, c'era fame e paura, c'era uno sgomento silenzioso, nessuno comunicava qualche cosa all'amico. Però, via via che il tempo trascorreva, si aveva la certezza di essere circondati da una follia crudele. Se la vita che vivevamo conteneva troppe cose che si facevano sempre più inaccettabili, doveva esserci qualche cosa da pensare, da vivere; doveva esserci la possibilità di una esistenza tutta diversa, tale da cancellare quella che ora rendeva tanto incerti in attesa di un evento terrorizzante.

Apparentemente la trattoria Beltramme, che poi nessuno conosceva sotto questo nome, la si chiamava "Cesaretto" in omaggio a colui che la governava, apparentemente era frequentata esclusivamente da gente uguale a quella che frequentavo costantemente in tanti altri luoghi; apparentemente un punto di riferimento come gli altri. In verità vi si respirava un'aria pacificatrice; le ore passate là dentro sembrava rigenerassero le speranze che i tetri anni di guerra avevano sepolte. Tuttavia, da Cesaretto, nulla di misterioso, nessun fluido particolare o arcano; bastava il brusio delle trenta persone che ogni sera mangiavano lì, eppoi si trattenevano fino a notte tarda, perché, senza saperlo, lì dentro come in un'isola, componevano una comunità che li rendeva amici, necessari l'uno all'altro. Nessuno se ne rendeva conto; ma sarebbe stato facile capire: Cesaretto era la famiglia, ciò che gran parte di noi aveva perduto, allontanato, ripudiato.

Via della Croce era, forse in parte lo è ancora, la strada del centro romano dove un tepore umano, un sapore di cose accessibili a tutti favorivano distensione e confidenza. Entrare a via della Croce era come se d'un tratto ci si trovasse nel bel mezzo della strada principale del proprio paese, vicino alla propria casa. A quel tempo nulla vi splendeva per farsi notare; anche nel buio dell'oscuramento ogni ombra risultava un'immagine familiare. Da Cesaretto, entrando, per prima cosa vedevi balenare i guanti di filo bianco di Felicetta. Cesaretto era da per tutto, a piccoli passi fitti fitti provvedeva a tutto, sorrideva; le sue frasi erano acute, e tutte intonate al soccorso, al pronto adempimento d'ogni richiesta. So che, più di una volta, lì ho riudito la frase consolatoria di mio nonno: «Ci penso io!». Qualche volta sapeva anticipare alcune nostre titubanti necessità che, il più spesso, consistevano nell'attendere una giornata più favorevole per pagare il pasto consumato, oppure per saldare il conto che magari da una settimana cresceva su un foglietto nel cassetto del banco.

Quasi di aspetto povero, era luogo di elezione, rifugio nei confronti di una città al buio, d'una intera nazione stravolta dalle cruente apologie di guerra, dalle crudeli ambiguità della paura, della fame che serpeggiava.

Ognuno di noi, in quegli anni, era portatore di angosce, di difficoltà; ognuno, tutte le mattine, uscendo di casa, temeva la giornata come dovesse accingersi a trascorrerla in un luogo ostile e sconosciuto: la protezione veniva la sera, a cena, da Cesaretto.

Finita la guerra dissi a Cesaretto e Felicetta che ci si sarebbe visti un po' meno perché mi sarei sposato: «No» dissero tutti e due «prima la dobbiamo vedere».

«Credo d'aver scelto bene.»

«Sì, sì; ma prima deve portarla qui, la dobbiamo vedere.»

Andai con la Puci; la studiarono fermandosi sulla porta della cucina per guardarci da lontano; dopo un poco cominciarono a farmi segni di assenso con la testa: "Sì, sì" dicevano; sembravano contenti.

Quando stemmo per lasciare il locale, Felicetta chiamò la Puci, alzò la mano su di lei, fece un segno di croce; era accettata e benedetta: Cesaretto era la famiglia.

Un luogo come quello non si improvvisa; infatti da Cesaretto, prima della mia generazione, c'erano passati d'Annunzio, poi Soffici e Papini, Barilli, poeti e pittori d'ogni qualità e fama. Vivere da Cesaretto significava, nelle lunghe sere, aprirsi gli occhi a vicenda, trovare il coraggio, ma anche la bonomia, di mormorare, di condannare, di pensare ad un futuro da vivere da uomini liberi. Della libertà si parlava, ed era quanto bastava perché si finisse per dire tutto, per dirci tutto. E da Cesaretto conoscemmo poi la libertà, imparammo a parlare della difficoltà del vivere, non più nel timore, ma nella responsabilità.

Ancora negli anni in cui non era del tutto dimenticato il peso del dopoguerra, un pomeriggio mangiai e conversai alla tavola di una coppia di persone anziane, di tipo anglosassone; parlavano bene italiano ed amavano l'arte, sembravano molto colti e gentili; quando se ne furono andati chiesi a Cesaretto: «Chi sono quei due signori?». «Il re e la regina di Svezia.»

Vedere con tutti e due gli occhi

Mentre la guerra rendeva sempre più difficile tutto, mentre tetramente nascevano perfino diffidenze anche tra coloro che si conoscevano bene, mi accorsi che in certi casi si formavano solidarietà che acquistavano un valore particolare, nuovo.

Ormai, per istinto, anche quando si cercava di chiudere gli occhi a tanto scempio, s'intuiva che era tempo di guardare al di là dello spazio di quelle buie giornate. Mi sentii perciò contento di non essermi lasciato legare all'aiuto dei politici; il mio rifiuto, che in altri tempi mi era parso un atto d'orgoglio, d'insofferenza, ebbi l'impressione che inconsapevolmente contenesse qualche cosa d'altro.

Era arrivata l'ora in cui avrei dovuto provare a me stesso che, pur in mezzo a tanti impedimenti, cresciuto ormai lo ero, pronto a vedere tutto, con tutti e due gli occhi. M'accorgevo che la poesia ed il lavoro culturale non finivano entro il cerchio di gesso in cui li avevo felicemente circoscritti. Le ragioni del vivere erano più vaste, occupavano più spazio della stessa poesia; le illusioni spirituali si sarebbero imbalsamate, se non avessi imparato che intellettualità era anche detestare e combattere i carcerieri delle nostre giornate; era non più voltare le spalle alla loro presenza, perché quel loro potere che io avevo giudicato quasi soltanto rozzo e uggioso, era invece crudele e, spesso, feroce, una specie di cancro, un pericolo per la stessa sopravvivenza. A questo punto fu sufficiente che la lenta ascesa alle realtà più vaste e primarie corrispondesse alle idee di un gruppo di amici, quasi tutti un poco più giovani di me, ma da tempo educati alla passione civile. Li considerai fortunati; avevo faticato tanto prima di trovarmi improvvisamente predisposto a comprenderli, a collaborare con loro in quel sottile lavoro che realizzammo sulla rivista *La Ruota*. Ciò che la rivista sottintendeva ben presto fu recepito da tanti altri amici della nostra generazione; *La Ruota* conteneva un segnale, recepiva suggerimenti culturali ai quali ero stato sottratto, od avevo appena sfiorato, mentre invece contenevano da sempre l'immagine di un mondo simile a quello che, senza saperlo, già avevo vissuto nel microcosmo degli amici fiorentini, con altre consonanze, segrete o no, che richiamavano agli inevitabili impegni politici e di lotta che pure i poeti, in alcuni momenti, debbono saper recepire. Poteva anche parere che ci fosse contrasto tra la mia esperienza fiorentina e questa nuova, ma in realtà, senza le Giubbe Rosse, senza l'affinamento intellettuale, l'indipendenza culturale, che mi provenivano dagli amici fiorentini, non mi sa-

131

rebbe stato possibile riuscire ad entrare nello spirito di rivolta, nella animosa segreta bellicosità dei nuovi amici.

Nella redazione de *La Ruota* mi sentivo a mio agio, vi trovavo spesso la precisa risposta a tanti miei sentimenti che non avevano fino ad allora trovato l'alimento adatto. Quando si era tra noi ascoltavamo la radio inglese; Umberto Morra ci traduceva. Un giorno riferì: «Hanno bombardato Firenze» e sbiancò in viso.

«Bene, bene! Che si distrugga tutto! solo così...» Era Mario Alicata, la cui generosa veemenza andava spesso al di là d'ogni sgomento. Sgomento invece era lo sguardo di Morra, smarrito il mio. «Ci siamo, ora toccherà a tutti, ci vuole questo per svegliare la gente.» Mario, oltre che per l'esuberante temperamento, parlava da politico, da stratega addirittura in certi momenti. Il mio smarrimento non poteva invece placarsi: "La mia Firenze, la madre!". Ma quel giorno fu decisivo per me; quello che avevo maturato, quel dolore del vivere in un mondo che non corrispondeva a nulla delle mie esigenze, la rabbia di essere nato in un tempo in cui non avevo vissuto che guerre, era la quarta, mi fece comprendere che non si trattava soltanto di rammaricarsi. Se nella reazione di Mario c'era una censura per ciò che, al di sopra di tutto, era Firenze, tuttavia c'era anche l'indicazione ormai giusta, quella dell'azione. La condirezione de *La Ruota* con Mario Alicata, Antonello Trombadori, Muscetta e Giuliano Briganti significherà questo per me e per molti altri;

rappresenterà gli spasimi e le aspirazioni acquisite parlando soltanto in nome della cultura e
dell'arte che, per fortuna, i censori ed i sopraffattori non erano in grado di valutare.

«Quando tutto sarà passato» diceva Morra
con la sua pacatezza anglosassone. «Tutto sarà
passato», ascoltavo questa affermazione come
se per la prima volta potessi rendermi conto
che, tuttavia, ogni cosa può mutare anche in
meglio, col tempo; che ai cambiamenti che si
desiderano, che si considerano necessari, bisogna partecipare. C'era quasi entusiasmo infantile nella mia segreta gioia di scoprire che la letteratura mi avrebbe potuto portare anche ad
agire, ad essere dentro eventi che richiedevano
partecipazione. Era un altro dei miei modi di
crescere e mi pareva di essere ormai un uomo,
di essere ormai del tutto maturato, mentre invece era soltanto un nuovo salto che mi permetteva di vedere un orizzonte più vasto del
mondo che abitavo. Tante barriere superate mi
illudevano di essere arrivato ad un traguardo.
Dovevo ancora imparare che tutta l'esistenza è
una interminabile sequenza di traguardi e che,
perciò, infine, i traguardi non esistono.

La nostra rivista, il lavoro in comune con
quei giovani amici romani era stato un nuovo
traguardo; forse importante quanto lo stesso
approdo alle Giubbe Rosse; ma talmente diverso da sembrare opposto anche se, fin da quel
momento, intuii che l'uno era complementare
all'altro. Alla *Ruota*, nella piccola stanza in cui
era installata la redazione, tra tante cose nuove,

ma logiche secondo lo spirito stesso del luogo e delle persone che lo frequentavano, un dono che, almeno apparentemente, proveniva dal caso, apparteneva a ciò che generalmente in una vita è l'imprevisto: ma il sapere scegliere ciò che porta l'imprevisto, forse, trasforma il caso in destino.

Dopo pochi giorni che mi ero istallato nella rivista, entrando nella stanza della redazione vi trovai soltanto una persona, non l'avevo mai vista prima: uno sguardo dolce, gesti misurati, un sorriso. Forse ebbi già in quel momento la sensazione che quell'incontro non rientrava negli imprevisti giornalieri; ne fece testimonianza il futuro. La Puci sarebbe diventata la donna della mia vita. Scoprire in un momento decisivo e rovente come quello il segno, il codice che corrisponde alle proprie speranze, alle necessità del proprio futuro, è fortuna, è destino? Credo di poter dire che, malgrado la casualità, anche questo è scelta.

La spina nell'alluce

Tra il 25 luglio e l'8 settembre la mia più che trentennale incubazione era finita; uscivo dal bozzolo, c'era da lavorare allo scoperto, cioè segretamente.

I muri molto puliti li rispettavamo; tanto più quelli rivestiti di marmo o di pietra; non s'imbrattavano nemmeno i muri delle chiese né quelli dei monumenti rispettabili. La vernice era fornita in fagottini che celavano barattolo e pennello: cominciammo così, strisciando a notte alta, durante il coprifuoco, sui lati più bui degli edifici; s'era sempre in tre, quello davanti scrutava che tutto fosse calmo nello spazio che avevamo da percorrere, quello dietro guardava le spalle. Le pattuglie tedesche difficilmente ci avrebbero colti, perché nel silenzio della notte si annunciavano da lontano, marcando il passo come fossero in parata, un passo di cui la notte sonora trasmetteva il ritmo imperioso. La prima volta che ebbi io il pennello ed il barattolo, scrissi banalmente M il nazismo, grande, tutto maiuscolo. In seguito gli slogan divennero complessi, politicizzati; perfino non privi di humour, in qualche caso. Però, col tempo, la cosa divenne più difficoltosa, sembrava che i tedeschi durante la notte avessero adottato le pantofole e li scorgevamo soltanto, se c'era la luna, quando ne vedevamo le ombre in fondo alla strada. Uccidevano. Tuttavia anche le scritte sui muri lasciarono il posto ad altre attività; c'era da reperire i luoghi per le riunioni, organizzare, accogliere con tanti accorgimenti coloro che arrivavano da altre città. C'era da diffondere i giornali clandestini, i manifesti; c'era da sorvegliare giorno e notte le strade di accesso a Roma, annotando tutti i mezzi militari che entravano ed uscivano.

Furono giornate, settimane e mesi che non finivano mai; eppure, nei momenti di riposo, pareva avessero cosparso su di noi un fluido liberatorio; qualche cosa comunque dovevano infondere se, al momento stesso che assieme ai tre giovani che mi accompagnavano in un nebbioso mattino, con le tasche piene di propaganda contro l'esercito tedesco, contro il nazismo ed il fascismo, trovandomi d'un tratto circondato, poi incatenato, picchiato e rinchiuso in uno stanzino assieme ad alcune scope, poi spedito nella prigione del commissariato Flaminio, poi nella caserma M.M. in Prati, poi a via Tasso, poi a Regina Coeli, dopo il primo sobbalzo lacerante come uno schianto, uno straripamento del sangue, mi sentii calare in un placido liquefatto tepore dietro al quale, nascosto, l'occhio della mente, rapido, vivissimo, quasi furbesco, lavorava alacremente per percepire tutto, per occupare il corpo e l'anima e non lasciar posto al tormento della fame, all'umiliazione, o al dolore delle percosse.

L'idea che avevo del dolore fisico era ancora quella infantile; mai avevo dimenticato di essere stato due ore con una piccola spina infilata in cima a un alluce per il terrore di toglierla. Avevo otto anni, portavo dei sandali a frate, come li chiamavamo allora; una piccola spina s'era infilata nell'alluce mentre camminavo in un prato: lo sgomento che provavo a guardarla, anche se non sentivo dolore, era grandissimo; rimasi fermo sull'erba quasi fino a sera, poi decisi di tornare a casa, camminando con cautela, sul calcagno, zoppicando come un ferito grave. A casa mia madre, sorridendo, la prese sulla punta delle dita, non provai nulla, non mi accorsi nemmeno che l'aveva sfilata finché non me la fece vedere: una spina di rosa, forse. Ma il terrore che avevo provato per quel corpo estraneo nella pelle mi seguì sempre.

Ora il problema si era ripresentato immediatamente ed in proporzioni ragguardevoli; ebbi il dubbio di essere rimasto il bambino della spina; ma non appena subii le prime percosse con la punta di una rivoltella sbattuta violentemente sul petto fino a far uscire il sangue, mi accorsi, non solo di non percepire quasi per nulla il dolore, ma soprattutto di non provare l'orrore della pelle violata. Non si finisce mai di crescere. Alla rassegnazione non avevo mai pensato, nelle ore interminabili passate nelle celle, specialmente a via Tasso, dove lo spazio disponibile per me e gli altri quattro era solo sufficiente per distendersi sul pavimento, quando non mi lasciavo occupare dalla facondia dei compagni, mi dovevo quasi meravigliare dell'alacrità mentale per la quale l'ipotesi di un futuro, l'analisi del passato, pareva aver raggiunto una velocità straordinaria; mi pareva di muovermi in uno spazio ancora una volta tanto ampliato da abbracciare orizzonti mai raggiunti prima. Mentalmente mi muovevo con tale libertà, con possibilità illimitate; "Allora," mi dissi "siamo noi la nostra prigione, siamo noi la nostra libertà." Possediamo comunque una libertà che sta dentro di noi e si può concludere una intera vita senza mai averla scoperta. Anche se la fame era molta, arrivavo alla notte predisposto ad addormentarmi sul pavimento, navigando quasi subito in un sonno senza sogni.

Com'era rimpicciolito tutto, anche la poesia pareva poca cosa, anche la prospettiva di essere ucciso, sempre presente, non pareva importante. Gli ultimi tre giorni, trascorsi al Terzo Braccio di Regina Coeli controllato dai tedeschi, stetti ad aspettare la morte, non più come supposizione, ma annunciata, descritta. Per tre giorni, sempre alla stessa ora, mi portarono al pianterreno, in una stanza, ad attendere il camion che mi doveva portare al Forte Boccea dove sarei stato fucilato assieme ad altri due poveri cristi come me. Tutti e tre i giorni aspettammo per due ore, ma il camion non arrivò; c'era gran confusione, gli alleati erano quasi alle porte di Roma; il terzo giorno, invece del camion, arrivarono gli americani e le porte di Regina Coeli furono aperte.

La morte era stata vicina per tre volte consecutive; questa sì che era stata una chiamata! Come avevo risposto? Parole nessuna, gesti nemmeno; soltanto uscendo, scappando dalla prigione, scoprendo che non sarei stato ucciso, provai la desolazione che, nell'attesa del camion, non mi aveva mai raggiunto. Ora potevo buttarmele dietro le spalle quelle ore di attesa; invece proprio ora che erano lontane ed innocue, si facevano imperiose. La risposta che l'attesa non mi aveva saputo dare, ora si esigeva: da chi, perché? a chi avrei dovuto rendere conto?

A chi?

S'era inaspettatamente spalancata una finestra. Se si è chiusi in un ambiente buio, dove
l'aria è irrespirabile, spalancando all'improvviso
una finestra sullo spazio aperto, si apre un buco
nel cielo: tutto lo spazio per un attimo di evasione. Poi, quel grande vuoto che si è aperto
davanti finisce per non avere senso, per non
contenere nulla se non la luce e l'aria libera. A
questo punto è necessario abbandonare l'infinito e tornare a guardare il segreto delle penom-
bre, la modulazione dei chiaroscuri. Guardando
attraverso la stessa finestra, ma dal lato opposto, dall'esterno, invece d'un buco sull'infinito,
hai davanti un buco nei segreti umani che in
quello spazio hanno lasciato un segno; è meno
riposante, ma è come ritrovare la dimensione
giusta e il terreno solido per camminare dopo
essersi persi nei cieli.

I segreti che m'ero portato dietro cominciarono a sprofondare in quella che chiamavamo
libertà. Dovevo, ancora una volta, dopo avere
aperto una finestra sul cielo, voltarmi, rovescia-
re ancora una volta gli occhi per guardare a ri-
troso, verso quel breve tratto di passato, per ca-

pire non i fatti e le ragioni generali per cui ero stato in quel buio ed al cospetto della morte, ma che cosa era accaduto di me, dal giorno che ero stato incastrato nella parte più stretta della gola dell'odio, al momento che la finestra s'era spalancata in quello spazio senza confine.

Quando m'ero voltato indietro m'ero trovato come un passerotto fuggito dalla gabbia, libero su un ramo, coi beni della terra attorno, ma in procinto di cominciare la fatica di provvedere a se stesso. Era esperienza nuova, era, per la prima volta, la dimensione politica del vivere che dovevo capire, che andava vissuta.

Tornato coi nuovi e coi vecchi amici cercai di riprendere le fila d'ogni rapporto dove si erano interrotte, di incominciare a percorrere la strada che pareva ormai fosse tracciata dinnanzi a noi, sgombra delle ombre e degli ostacoli d'un tempo. I dubbi furono molti, subito. Mi imposi un breve periodo di riflessione; troppi avevano capito tutto e subito; per me era ancora necessario cercar di vedere cosa era veramente successo fuori e dentro di me.

La guerra non era finita; da Roma libera decisi di affrontare un avventuroso viaggio per tornare alle origini, confrontare il passato con le difficili scelte per cui avevo vissuto e trarne, possibilmente, quel tipo di suggerimenti sotterranei che m'avevano guidato un tempo in occasioni decisive.

«Hai della paglia sotto il colletto del cappotto. Hai dei fili di paglia nei capelli» disse mio padre; li eliminai con un gesto rapido, senza precisare che avevo dormito in una tana a metà strada tra Livorno e Pisa.

«Sei magro. Ti sei stancato parecchio» disse mia madre. A lei risposi con un segno affermativo della testa; lei mi capiva così e, in questo caso, il segno bastava, mi sottraeva all'obbligo della muta sillabazione delle labbra. La mattina dopo mi aspettavano incerti, incuriositi e timorosi, forse, a loro modo, anche con un po' d'ansia affettuosa.

«E ora che fai, resti qui?»

«No, sono venuto soltanto per pochissimi giorni.»

«Ma poi che farai?»

«Quello che ho sempre fatto.»

«Scrivere? Ma è un mestiere quello?»

«Voi non avete da pensarci. Lo sapete che non ho bisogno di nulla e nessuno.» Non volli ricordare loro che in certe circostanze, perfino durante le mie difficoltà romane, ero intervenuto. Comunque mio padre concluse:

«Ora anche noi non abbiamo bisogno di nulla. Durante la guerra ho guadagnato qualche cosa».

«Dovrò tornare a Roma molto presto.» Un lampo ci fu; dopo tutto, che io me ne andassi procurava loro un segreto sollievo.

La prima visita fu per Ilaria, l'immagine della dolce morte; la bellezza, nell'arte, sembra trasformare la vita, o la morte, in puro struggimento ideale. Poi al fonte battesimale di San Frediano, alle cui immagini ricorrevo sempre per un mio intimo gioco antico, come se avessero potuto darmi responsi e profezie. Vagavo, lo sapevo e non volevo ammetterlo, cercavo la risposta agli interrogativi che mi seguivano anche lì; ma la risposta di che, a chi? perché? Era forse il caso cancellassi dalla memoria la *Vocazione di San Matteo* di Caravaggio, ch'io visito ogni volta che passo dalle parti di San Luigi dei Francesi, perché quel dito puntato: "Tu!" assieme alla gioia, potrei dire al turbamento di quel dipingere dell'inquieto artista, sembra voglia dire a tutti, anche a me: "Tu!". Essere chiamati così; non aver altra risposta che l'obbedienza; trovare in un attimo risolti tutti i dilemmi. Quanti silenzi per aspettare una voce, o un gesto, che potessero liberarmi di tutte le responsabilità, del peso di scegliere sempre. Quante attese deluse!

Nulla, nessuno mi aveva mai chiamato; nulla mi avrebbe chiamato, lo sapevo bene; ma la mente oziava, si serviva delle cose che amavo come quel dipinto del Caravaggio. Avevo rinunciato ai parenti, al fratello, alla fidanzata; alla donna che mi si era data; nessuno mi aveva aiutato nelle scelte, nulla mi aveva suggerito che cosa avrei dovuto decidere. Nella stanzetta d'attesa a Regina Coeli nulla e nessuno m'aveva dato un sostegno; ora, come sempre, toccava a me disperdere ogni incertezza, sentirmi sicuro che ogni scelta e decisione ancora e sempre sarebbe stata soltanto mia, sapere una volta per tutte che la vita che mi aspettava l'avrei decisa io. Intanto a Roma c'era lo sguardo dolce, il gesto educato, il sorriso sospeso, disponibile, a cui sarei andato incontro subito, prima d'ogni altra cosa: era una certezza.

Affrettata pausa riflessiva

Che i tre appuntamenti mancati potessero anche essere una combinazione di eventi fortunati, almeno per la conclusione che rimandava l'incontro ad altra data, me lo dicevano in molti ed io finivo per convenirne. In verità mi sentii seguire da quei tre eventi come da tre occasioni perdute. Anche quando subito dopo mi recai a Lucca, ogni tanto una frase m'attraversava la mente — E se fosse stato meglio che l'incontro ci fosse stato? — Ora, quando il dramma familiare, o le contraddizioni tra le mie condizioni e le mie aspirazioni montavano in me, o attorno a me, avevo un attimo di pausa, come uno scatto, il tempo appena necessario per un sorriso assai disincantato. Ch'io non sapessi più interamente credere che valeva la pena di stare al mondo a tutti i costi? Le lunghe settimane, le tre attese m'avevano in qualche modo temperato, oppure mi avevano spento. Mi consolava il pensiero che sarei tra poco tornato al mio lavoro letterario, dove le cose da esplorare sembravano aumentare via via che aumentavano quelle di cui potevo impossessarmi.

In quelle giornate lucchesi la presenza della cupezza familiare mi rendeva incerto, ma proprio mentre cercavo il modo di riprendere la strada di Roma, l'incontro in via Fillungo con la Palermitana ebbe il potere di ravvivarmi un poco. Come sempre camminava in mezzo alla via, ancora provocante e tortuosa come le ultime volte che ci si era visti a Roma. Mi aveva fatto soffrire; ma ora sorridevamo tutti e due; ormai il nostro comune passato poteva addirittura intenerirci.

«Sono qui perché sono arrivati gli alleati in tempo giusto.»

«Lo so, lo so, fortuna, fortuna. Ne sono contenta. Resterai a Lucca, ora?»

«No, sto cercando il modo di tornare a Roma.»

«Anch'io stavo cercando il mezzo per tornare a Roma, quando ho trovato un'altra soluzione.»

«Ne trovi, tu, di soluzioni.»

«Mi sono fidanzata.»

«Con chi?»

«Mi sposerò presto. Con l'americano che ora comanda la piazza. È il governatore di Lucca; qui non si muove foglia senza il suo consenso.»

«Buona soluzione, auguri.»

«Andremo a stare a New York, appena finirà la guerra.»

«Sono contento di averti incontrata. Magari ci rivedremo di nuovo, non si sa mai.»

«Non si sa mai.»

«Ora debbo trovare un mezzo che mi riporti a Roma. Ma è difficile.»

«Non è affatto difficile. Posso pensarci io. Basta dirlo al mio fidanzato; lui può decidere.»

Me lo fece conoscere; le risorse della Palermitana erano come sempre inesauribili. Il comandante trovò immediatamente la soluzione per il mio ritorno a Roma. Partii il giorno dopo su un autotreno pieno di scope di saggina, con due simpatici conducenti. Non ho mai capito perché, in mezzo ad una guerra ancora cruenta, migliaia di scope viaggiassero contromano, attraverso un impressionante traffico bellico.

Anche con la Palermitana ridemmo prima che mi issassi sull'autotreno; era il quarto uomo che mi presentava.

Il terzo invece, me lo aveva fatto conoscere a Roma, pareva che tra loro vi fosse un legame assai tenace, desiderò che parlassi con lui. Benché non ne comprendessi la ragione l'accontentai, ma non fui in grado, al tempo di quel colloquio, di rendermi conto del personaggio, e nemmeno il suo nome aveva per me significato. Il nostro incontro era avvenuto in una camera dell'albergo Savoia, mentre la Palermitana s'affannava a servirci un raro tè anteguerra e biscottini. La conversazione si aggirò genericamente sulla situazione politica del momento, per poi, ad un certo punto, far centro sulla classe operaia italiana. La definizione mi rese più attento; ma quando mi disse che lui sarebbe stato in grado di influire sul comportamento degli operai italiani ebbi l'impressione che desse i numeri. Concluse: «La classe operaia italiana mi seguirebbe». Era il tempo dei primi scioperi nel triangolo industriale che sfidavano il regime, dando a noi, nelle ore che passavamo alla *Ruota*, la possibilità di intuire gli impegni che, certamente, in un prossimo futuro ci avrebbero condotto alle scelte che ormai s'intravvedevano lucidamente.

Soltanto mesi dopo, trovando accanto ai nomi dei gerarchi fucilati, assieme a quello di Ciano e degli altri, anche quello d'un certo Gottardi, rammentai: — ma costui era l'uomo dell'albergo Savoia! —

Erano momenti in cui non c'era più spazio per la pietà; comunque ero forse l'unico che poteva ricordare un volto d'angoscia, un ingenuo tentativo rivolto all'indirizzo sbagliato.

La casa giusta, dopo

Non ho mai sentito la necessità di ricordare a me stesso ch'io, dopo la mia guerra, le mie attese, la mia uscita dai lunghi tunnel del mio crescere nebuloso, alla fine ero sfociato in una valle luminosa entrando in un paesaggio nuovo dove avrei saputo muovermi. La mutazione era stata lenta ma radicale. La barriera politica che avevo sfondato per ultima, non era stata delle meno ardue, ma, a suo modo, risolutiva. Che significava tutto questo?

Sicuramente non ero un altro, come si suol dire quando non si sa che cosa concludere; la mia immagine non si era certo trasformata, era soltanto entrata in una dimensione che comprendevo con più chiarezza di quanto non avessi potuto con quelle del passato; gli spazi si erano enormemente allargati. Ero ancora l'uomo che cammina; ma ora dovevo camminare più in fretta, attento a dove mettevo i piedi. Le paure, le timidezze o le angosce di tutto il passato s'erano allontanate. Sapevo guardare finalmente con tutti e due gli occhi aperti e attenti.

La prima cosa che riuscii a comprendere fu la qualità della mia preparazione al dopo. Non

sapevo ormai che cosa avrebbe potuto farmi
sussultare, dopo l'aver atteso per tre volte la visita risolutiva. Avevo la sensazione che ormai
nulla e nessuno avrebbe potuto scalfire quella
specie di serena attesa di qualsiasi cosa. Ero
stato cotto in un forno rovente, da fornaciai
provetti, come un buon vaso d'argilla, verniciato e invetriato da uscirne con uno smalto difficile da graffiare. — Potrò vivere un'altra sola
settimana, od un'altra intera vita — m'ero detto — tutto quanto verrà sarà un regalo, mi sarà
dato in più, accettabile come un dono anche
quando conterrà dolore —. Gli occhi disperati
d'un tempo s'erano tramutati in ricettori sensi-
bili a scoprire ogni segno impercettibile, nel
quale fosse possibile ravvisare un piccolo suggerimento che potesse aiutare a comprendere
perché il mondo esiste.

Le tre attese, che nell'immediato momento
della mia scarcerazione mi pareva non avessero
lasciato segni consistenti, si rivelavano tre
grandi doni, squillanti, tre corazze impenetrabi-
li contro le possibili e prevedibili offese del
mondo.

Sicuramente, per me, la realtà aveva un volto nuovo: quando, sceso dall'autotreno carico
di scope, m'ero guardato attorno, per me la vita
sembrò tutta da cominciare; la casa che avrei
dovuto abitare avrebbe dovuto essere quella
giusta, quella definitiva, costruita a somiglianza
di se stessi. Vi sarebbero senz'altro confluiti oggetti severi della casa povera, forme confortanti
della casa ricca; ma ogni oggetto ed ogni colore

vi avrebbero assunto la consistenza necessaria, affinché i suoi muri assumessero la funzione protettrice che avrei chiesto. Avrebbe dovuto essere esclusiva, ma una delle sue finestre sarebbe rimasta aperta. Una finestra, un buco nell'infinito, un varco per l'aria che si muove, per le voci e le immagini del mondo che permettono di sapere, di essere comunque presenti, affinché si sappia dell'universo e l'universo di noi.

La casa giusta sarebbe naturalmente stata la casa della compagna scelta, della tenera convivenza che aiuta ad accettare l'ignoto d'ogni attimo che ti sta davanti; aiuta alla felicità ed alla illusione della felicità; aiuta a costruire le trame dell'avvenire almeno per quella misura in cui si crede di poterlo determinare.

La casa giusta è quella che anche gli amici scelgono e prediligono; la loro presenza vi assume ruolo di tutela e protezione, amplificando l'ambito del privato in cui puoi prepararti all'incontro e scontro col resto del mondo.

Sposai la Puci poco dopo la benedizione di Cesaretto e di Felicetta in via della Croce. La Puci portava, assieme al tenero sorriso, il dono della fiducia, quasi la fiducia fosse certezza. Avevo scritto il mio primo libro del dopoguerra, ero rientrato nel mio mondo cercando di comunicare gli aspetti della mia esperienza che potessero, magari, rappresentare un momento di ripensamento anche per qualcun altro. Fu difficile: delle proprie esperienze, delle sofferenze, dell'oppressione della violenza, si doveva parlare con odio; si doveva condannare. Trovai difficoltà, trovai incomprensione proprio dove mi aspettavo il consenso; ma il mio libro seppe camminare, seppe far riflettere, una ventina d'anni dopo, anche coloro che travolti dal risentimento e, magari, dalla sete di vendetta non avevano accettato la mia necessità di capire.

Con la mia compagna avemmo tutte le difficoltà e tutte le dolcezze che le nostre scelte ci avevano fatto prevedere; la casa giusta ci fu baluardo quando attorno avevamo ostilità, fu la cassa di risonanza di tutto ciò che ci portò gioia e serenità. Presenze come quelle dei Gallo, e dei Dessì, e dei Lumbroso, e di altri più giovani, ci portarono consigli preziosi, sorrisi e, non di rado, anche giuochi ed allegria. Accanto alle presenze scelte, le altre, non previste, ma che mi pareva d'aver già divinato tanto tempo prima quando, nella prigione delle M.M., per sviare l'incalzante inquisizione d'un compagno di cella, sicuramente spia fascista, avevo descritto i due figli che avrei voluto, proprio come poi furono e come sono.

L'importante era che io avessi ripreso il mio viaggio nella letteratura; là dove la guerra l'aveva interrotto. Era stato poesia fin dal momento che avevo cominciato a perseguirlo dal fondo del negozio di pantofole di via Santa Lucia, nella mia splendida Lucca: quello rivolevo soprattutto, altro non chiedevo.

Era stato come se avessi sfondato un muro simile a uno di quei bastioni etruschi come ancora si vedono nei boschi di Cosa, la cui indistruttibilità sembra eterna, trovando finalmente, dall'altra parte, il mondo di tutti; lasciandomi alle spalle il tenace labirinto di una crescita dolorante, il pericolo d'una ignoranza buia e lacerante senza fine e, certamente, non pochi misteri ancestrali.

È l'itinerario di molti di noi; averne consapevolezza aiuta. È come smettere un vestito proveniente da un taglio standard per indossarne uno fatto su misura. Il miglior vestito è quello che noi riusciamo a modellare su noi stessi.

Io potevo reputarmi felice di essere salito dalle pantofole dell'attività paterna, dalle estremità, come chiamavano i piedi le antiche signore, fino alle spalle. Mi sarebbe piaciuto contribuire alla protezione della testa, ma il cappello è il più difficile.

Il vero dopo, dunque, cominciò a questo punto. Non ho mai capito bene che cosa significa stare al mondo; ma ho cercato di capire quando possibile qual è il modo più giusto di stare nel mondo con gli altri: è una ricerca che non finisce mai. Lo spiraglio che può permetterci di uscire dalla prigione del mondo sta nell'intramontabile infinità dei modi e dei luoghi coi quali, stare con gli altri, confina con la pace dell'anima, con la possibilità di riuscire ad essere il sarto di se stessi. Magari anche il cappellaio.

Roma - Orbetello
30 ottobre 1982

INDICE

Finito di stampare nel mese di dicembre 1983
dalla Rizzoli Editore - Via A. Rizzoli 2 - 20132 Milano
Printed in Italy